KENICHI SAKUMA

EL MÉTODO SAKUMA

El secreto de las *top models* para una silueta esbelta y fuerte en dos semanas

TRADUCCIÓN DE
Madoka Hatakeyama

ÍNDICE

Consigue la silueta perfecta
El secreto del método Sakuma

Capítulo
2

¡Cambia tu cuerpo con cinco minutos de ejercicio!
Ejercicios para estilizar el torso

Capítulo
3

El secreto de las modelos
Las claves del régimen con el que mantendrás una figura esbelta de por vida

Capítulo
4

¿Qué tengo que hacer si...?
Ejercicios para resolver problemas concretos

¿Cómo es el método que las modelos quieren mantener en secreto?

Hace un año, tras seguir este método durante dos semanas, una clienta que trabaja como modelo consiguió reducir la grasa de la parte inferior del abdomen y de la parte superior de los brazos. Gracias a ello, ganó el primer premio de un concurso de belleza y empezó a trabajar para grandes marcas, lo cual marcó el inicio de una nueva y maravillosa carrera profesional. Por otra parte, una exjugadora de baloncesto acudió a mí para convertirse en modelo. Su cuerpo era totalmente distinto al de las modelos; no obstante, llegó a perder unos 10 kilos e hizo sus sueños realidad.

Naturalmente, no solo he ayudado a adelgazar a modelos y atletas; también he trabajado con cientos de mujeres normales y corrientes que querían perder peso. Tuve una clienta que pesaba 68 kilos y bajó hasta los 46; otra recuperó su figura dos sema-

nas después de dar a luz, y una mujer de negocios en la treintena consiguió convertirse en modelo de pasarela. Lo mejor de todo es que todas han mantenido la figura por la que trabajaron.

Cada año, presto mis servicios a más de 4.000 personas. **En total, más de 30 000 mujeres han obtenido su figura ideal en muy poco tiempo. Gracias a estas cifras, he recibido excelentes críticas, pues demuestran que este método ofrece buenos resultados a todo el mundo.** Mientras trabajaba en uno de los gimnasios más conocidos de Japón, donde me convertí en el entrenador personal más importante —gracias al número de clientes y a las ventas que conseguía— de entre todos los entrenadores de 200 clubes deportivos de una cadena en todo el país, desarrollé el «escaneo corporal», un método que me permite entender con solo un vistazo qué necesita cada persona para obtener una figura drásticamente diferente.

En la actualidad, **ayudo a famosas, modelos y candidatas a los tres concursos de belleza más importantes** del mundo —Miss Universo, Miss Internacional y Miss Mundo— a conseguir un cuerpo de ensueño. Tú también obtendrás una figura estilizada y bien proporcionada como la de mis clientas si realizas una serie de ejercicios durante cinco minutos todos los días.

¡Consigue la figura deseada con solo 5 minutos de ejercicio al día!

Si tu objetivo es adelgazar, lo más importante que debes tener en cuenta es que el lema de «cuanto más, mejor» no es necesariamente cierto. Hace tres años, tuve una clienta a la que no le gustaba en absoluto hacer ejercicio. Pero, aunque solo entrenaba dos veces a la semana durante menos de 10 minutos, perdió 20 kilos en medio año. Puede que esto te sorprenda, pero lo cierto es que para mí es un resultado lógico. Si una rutina de ejercicio es difícil o larga, la mayoría de la gente se rinde muy pronto, y, además, realizar los ejercicios de forma incorrecta puede disminuir la masa muscular.

Cuando nos proponemos perder peso, lo más importante es corregir los «malos hábitos del cuerpo». **Para corregir estos hábitos, 5 minutos de ejercicios son suficientes.** La fácil y corta rutina de ejercicios que te enseñaré a continuación es la forma más rápida de conseguir un cuerpo de ensueño.

5 EJERCICIOS

- Reduce el volumen del tren inferior
- Tonifica las caderas
- Estiliza la cintura

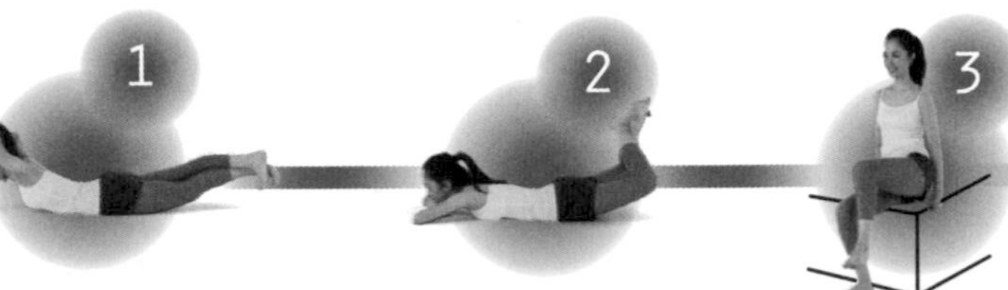

Diseñé el método Sakuma para el torso mientras trabajaba con agencias de modelos y ayudaba a sus representadas, y me centré en los aspectos esenciales, en qué necesitaban y qué no para lograr su objetivo. Como resultado, he creado el método más rápido para obtener un cuerpo bonito y esbelto.

Y conseguir esto no es nada difícil.

Si realizas los cinco ejercicios de 1 minuto que propongo, **tu cuerpo aprenderá a quemar la grasa enérgicamente y adelgazarás las zonas rebeldes sin necesidad de cambiar tu estilo de vida.**

Si eres perseverante, dirás adiós a esas partes rollizas que nos acomplejan a todos fácilmente. Y no solo eso: ganarás flexibilidad en las articulaciones y reducirás el nivel de grasa corporal.

¿Qué te parece? ¿Por qué no empiezas hoy mismo?

Te prometo que obtendrás resultados sorprendentes en menos de dos semanas.

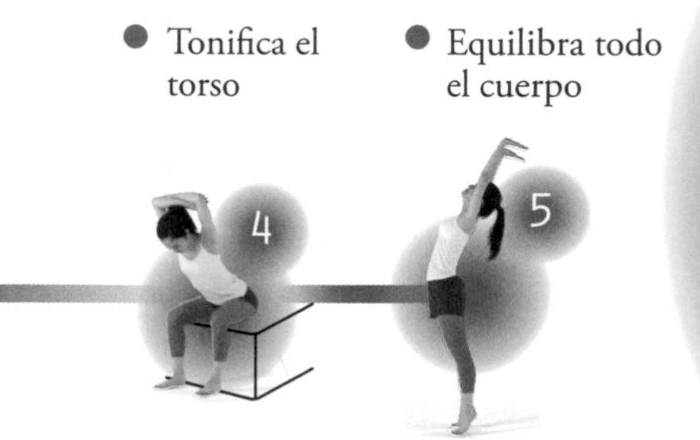

Cambia tu cuerpo drásticamente con cinco minutos de ejercicios al día en dos semanas

¡He transformado mi figura

Antes

CASO 1

Sra. E
Edad: 36

Antes

Altura: 152 cm
Peso: 53,5 kg
IGC: 27,4 %

Antes

Cintura: 79 cm
Caderas: 92 cm
Muslos: 49 cm

Peso 53,5 kg

IGC 27,4 %

Cintura 79 cm

Cadera 92 cm

Muslos 49 cm

Pautas del programa

- Realizar los ejercicios como mucho dos veces al día
- No saltarse el desayuno
- Hacer tres comidas al día como mínimo

Dieta

Menú típico de los primeros días de la semana 1

Desayuno: un plátano, yogurt (80 g), granola con mezcla de frutas (40 g) y un café cortado.
Almuerzo: arroz integral, (120 g), guiso de ternera y patatas y sopa miso.
Merienda: un café cortado.
Cena: hervido de tofu con verduras y la clara de un huevo.

Menú típico de la segunda mitad de la semana 1

Desayuno: granola con leche (100 ml), yogurt (80 g) y un plátano.
Almuerzo: 10 vasos de Shōchū† con agua, 2 empanadillas de carne, ensalada de nabo, queso y salchichas cocidas.
Cena: nada.

* IGC: Índice de grasa corporal

† Bebida alcohólica fermentada a base de cebada, camote o arroz

en dos semanas!

Después

IGC 24,2 % | –3,2 %

Cintura 73 cm | –6 cm

Cadera 88 cm | –4 cm

Muslos 45,5 cm | –3,5 cm

5 EJERCICIOS QUE CAMBIARÁN TU CUERPO — 1 2 3 4 5

Menú típico de los primeros días de la semana 2

Desayuno: yogurt, leche de soja, un plátano, granola y ensalada de pulpa de soja.

Almuerzo: guiso de tomate (el resto de la noche anterior), arroz integral y ensalada de pulpa de soja.

Cena: sopa de tomate y verduras, ensalada de pulpa de soja y carne con verduras al vapor.

Menú típico de la segunda mitad de la semana 2

Desayuno: granola, leche de soja y una manzana.

Almuerzo: hortalizas al vapor, hamburguesa de tofu y pechuga de pollo.

Merienda: galletas de tofu.

Cena: guiso de kimchi.*

* Col china fermentada con diferentes especias

DATOS

Después

Altura: 152 cm

Peso: 50 kg

IGC: 24,2 %

Después

Cintura: 73 cm

Cadera: 88 cm

Muslos: 45,5 cm

¡He transformado mi figura

Antes

CASO 2

Sra. M
Edad: 36

Antes

Altura: 152 cm
Peso: 51,2 kg
IGC: 25,1 %

Antes

Cintura: 78 cm
Caderas: 90 cm
Muslos: 50 cm

Peso 51,2 kg

IGC 25,1 %

Cintura 78 cm

Cadera 90 cm

Muslos 50 cm

Pautas del programa

- Beber mucha agua
- Reducir la ingesta de alcohol
- Consumir proteínas de buena calidad
- Realizar ejercicios como mucho dos veces al día

Dieta

Menú típico de los primeros días de la semana 1

Desayuno: naranja china y maracuyá.
Almuerzo: ensalada de col, ñame, pimientos y espinacas.
Cena: ensalada de col, pimientos y ñame, un filete de salmón y tofu.

Menú típico de la segunda mitad de la semana 1

Desayuno: granola, yogurt y maracuyá.
Almuerzo: ensalada de ñame, brócoli, col y calabaza y solomillo de cerdo.
Cena: col, ñame y natto.

en dos semanas!

Después

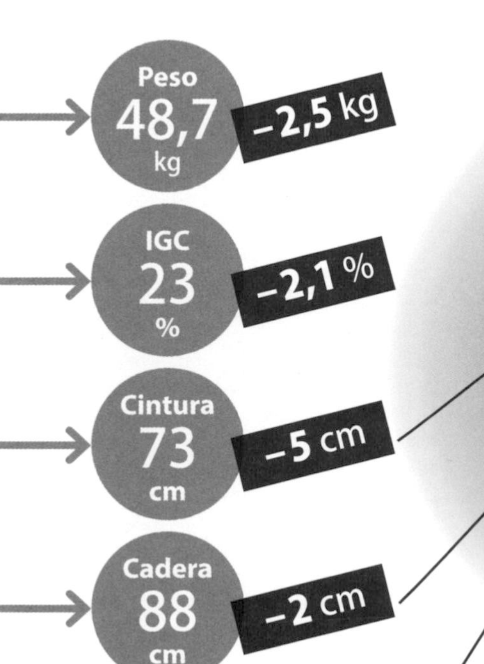

Menú típico de los primeros días de la semana 2

Desayuno: yogurt y granola.
Almuerzo: ensalada de okura, brócoli y pimiento.
Cena: sopa de verduras y ensalada de okura, col y brócoli.

Menú típico de la segunda mitad de la semana 2

Desayuno: yogurt, granola y un cuarto de caqui.
Almuerzo: pudding de huevo japonés, sopa miso, pulpo, salmón, pepino, una copa de champán y un té verde.
Cena: guiso de col, setas, tofu, col china, brotes de soja, cebollino chino, ajo, vieiras, okura, carne de cerdo y de pollo.

DATOS

Después

Altura: 152 cm
Peso: 48,7 kg
IGC: 23 %

Después

Cintura: 73 cm
Cadera: 88 cm
Muslos: 47 cm

Consigue una cintura esbelta corrigiendo unos «muslos

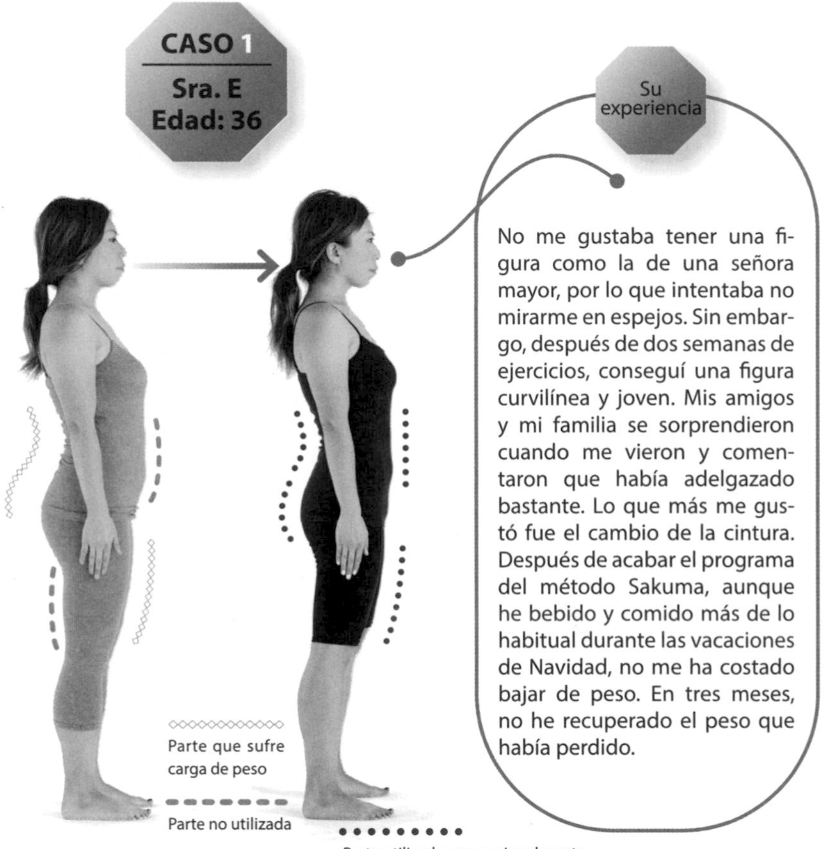

Por qué la señora E adelgazó tanto

Recuperó el equilibrio de su musculatura y detuvo la acumulación de grasa en las caderas, provocada por una extrema curvatura lumbar.

La señora E. tenía una pronunciada inclinación pélvica hacia delante y cargaba el peso, principalmente, en los muslos, las lumbares y las caderas. Además, apenas usaba los músculos abdominales y llevaba el pecho hacia delante. Cenaba tarde, por lo que tenía malas digestiones y sufría estreñimiento. Gracias al método Sakuma, consiguió reducir la carga sobre las lumbares y, por lo tanto, su postura mejoró (llevó el pecho y las caderas adentro). Además, eliminó la curva de la zona lumbar que le provocaba dolor, empezó a usar más músculos en general y transformó su figura.

voluminosos» y una «postura que provocaba dolor lumbar»

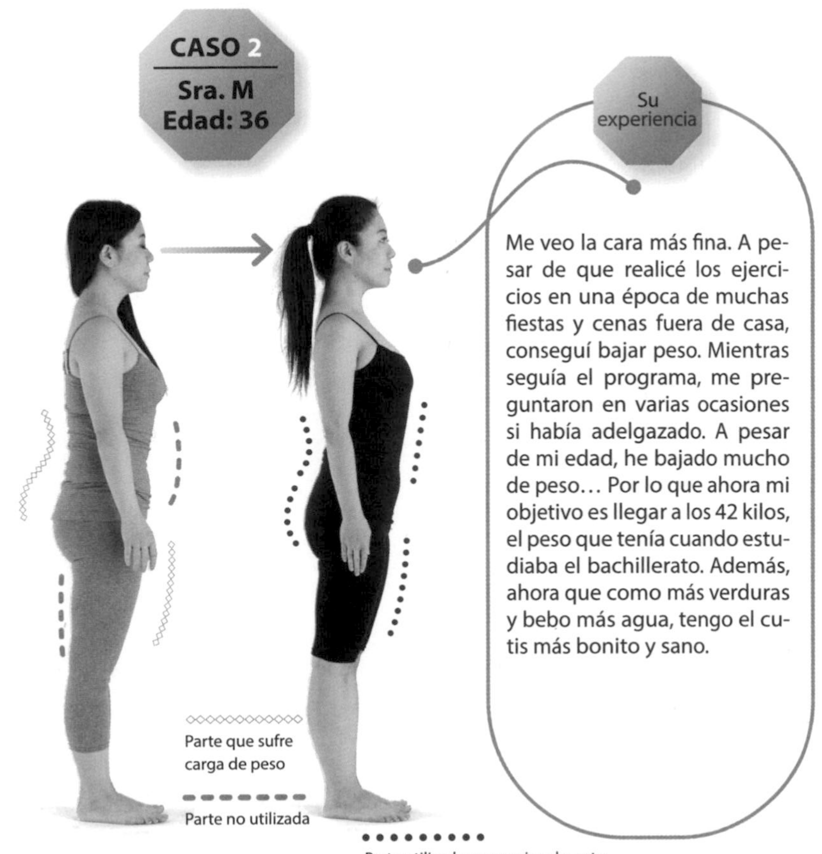

Redujo el volumen de los muslos y comenzó a trabajar más los músculos del torso, lo cual facilitó la pérdida de grasa.

Tenía un tren inferior muy voluminoso —el peso se concentraba en los cuádriceps, las lumbares y las caderas— y acumulación de grasa en la cara posterior de los muslos y el abdomen, que trabajaban menos. Además, comía solo dos veces al día y eso provocaba la acumulación de grasas. Gracias al método Sakuma, no solo se ha corregido la inclinación hacia delante de la pelvis, sino que también se ha reducido la carga de muslos y la zona lumbar, con lo que los músculos abdominales y los aductores trabajan con más facilidad. Ahora utiliza más músculos que antes y ha mejorado su metabolismo basal, ha reducido la grasa de la parte exterior de los muslos y ha dicho adiós a su flácido abdomen.

Por qué la señora M adelgazó tanto

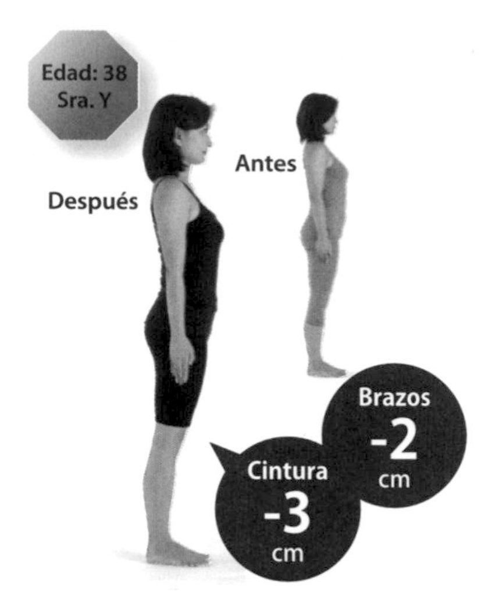

¡He tonificado mucho el vientre y la parte superior de los brazos!

Probé el método Sakuma porque no estaba a gusto con la flacidez de mi estómago, la parte superior de los brazos y los glúteos. Yo misma me sorprendí al ver resultados tan rápido. Hasta ese momento, me había costado mucho reducir el volumen de los brazos. Además, dejé de tener tortícolis, que me provocaba migrañas. Los ejercicios son muy sencillos y suelo comer fuera de casa, por lo que me preocupaba que no fuera efectivo, pero confié en el método y continué con el programa.

Ahora mismo como lo que me apetece y no he recuperado el peso que perdí. Mis conocidos dicen que he adelgazado, ¡así que tengo ganas de repetir el programa para bajar una talla!

Más de 30 000 personas

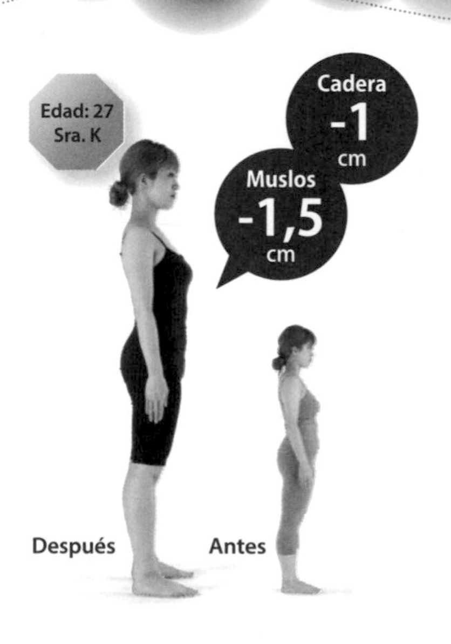

Pérdida de volumen en caderas y piernas

Quería bajar de talla desde hacía tiempo. Empecé los ejercicios a finales de año, una época de muchos excesos, así que tuve muchas tentaciones y creí que me costaría. Sin embargo, realicé los ejercicios durante dos semanas y perdí peso y volumen.

Me sorprendí a mí misma, porque pensaba que tenía más masa muscular de lo normal y estaba convencida de que me costaría reducir el volumen y de que, aunque me pusiera a dieta, no conseguiría cambiar mi figura. ¡Terminé el programa en dos semanas y los efectos todavía son visibles!

Natsuki Tsutsui
Representante japonesa del concurso Miss Internacional 2017

¡Ha desaparecido la grasa rebelde!

Conocí a Kenichi Sakuma en un taller de corrección postural antes del concurso nacional para representar a Japón en Miss Internacional, conocido como «los Juegos Olímpicos de la belleza». Para participar, se requiere una figura esbelta, un cuerpo tonificado y una musculatura proporcionada. Entonces, tenía una pronunciada inclinación pélvica hacia delante, lo que provocaba acumulación de grasa en la parte inferior del abdomen. Los ejercicios que practiqué durante los dos meses previos al concurso me ayudaron a reducir la grasa abdominal y corregir la postura pélvica. Gracias a ello, era capaz de mantener una postura erguida al caminar sin esfuerzo alguno. Mi intención es continuar con el programa para hacerme con la corona de Miss Internacional.

han logrado sus objetivos

Yoko Yu
Representante japonesa del concurso Miss Mundo 1994

¡He notado cambios a pesar de estar en mi cuarentena!

He sido modelo desde los veinte, y ahora tengo cuarenta y pico años. Tuve tres hijos mientras trabajaba y, después de cada parto, intenté recuperar mi figura de antes y practicaba ejercicios a mi manera. Sin embargo, tengo cierta edad y, en los últimos años, me he dado cuenta de que me cuesta conseguir la figura que deseo. Los ejercicios que me enseñó Kenichi no son tan duros como para sudar, así que no me cuesta hacerlos en el poco tiempo libre que me dejan el trabajo y el cuidado de mis hijos. Además, los resultados fueron visibles en un par de semanas, y eso me motivó muchísimo.

Realiza en orden los cinco ejercicios para torso y consigue una figura de ensueño

CLAVE

Información para obtener los mejores resultados.

Posición inicial

Descripción de la posición inicial.

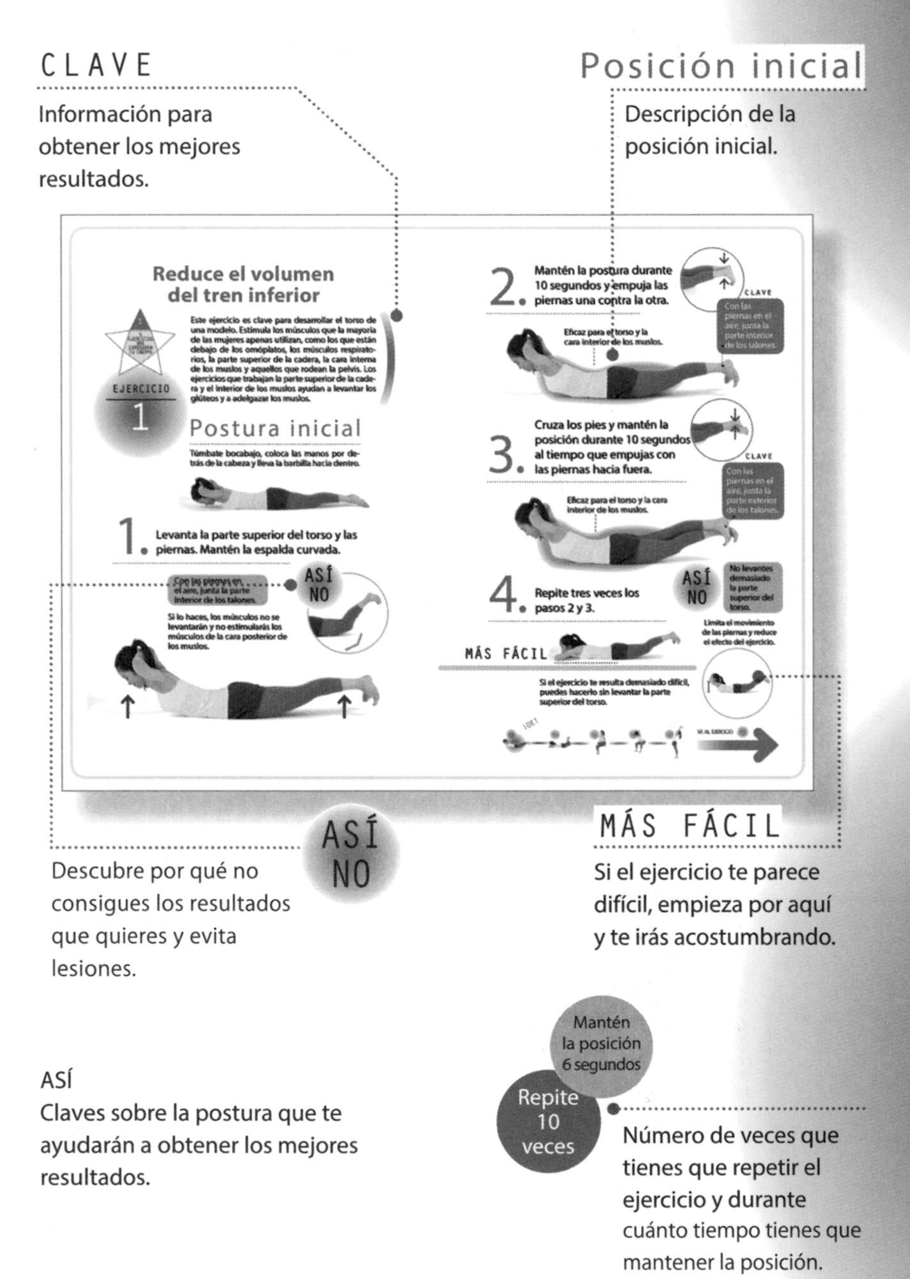

ASÍ NO

Descubre por qué no consigues los resultados que quieres y evita lesiones.

MÁS FÁCIL

Si el ejercicio te parece difícil, empieza por aquí y te irás acostumbrando.

ASÍ

Claves sobre la postura que te ayudarán a obtener los mejores resultados.

Mantén la posición 6 segundos

Repite 10 veces

Número de veces que tienes que repetir el ejercicio y durante cuánto tiempo tienes que mantener la posición.

Consigue la silueta perfecta

Capítulo 1

El secreto del método Sakuma

¿Por qué las partes que más me preocupan son las problemáticas?

«Ojalá no tuviera esta barriga flácida...». «Tengo que hacer algo para adelgazar las piernas». Estos son los pensamientos de muchas de las personas que se ponen a régimen. Aunque también se oye bastante: «He bajado de peso, pero no he perdido volumen en las partes que menos me gustan...».

A menudo, este tipo de problemas se deben a que los músculos del torso no son lo bastante fuertes. Cuando tenemos un torso débil, inclinamos la pelvis hacia delante (anteversión) o hacia atrás (retroversión), lo cual provoca que haya músculos que trabajan demasiado y otros que no. Por eso, ejercitas solo los músculos que trabajan y da la sensación de que son más voluminosos. Esto causa un desequilibrio en la silueta.

Hay tres posiciones pélvicas: la primera es la posición neutra, que mantiene la dirección vertical hacia el suelo; la segunda es la posición de anteversión; la última es la de retroversión. Si tienes una postura pélvica desequilibrada, aunque consigas perder peso, no conseguirás adelgazar las partes del cuerpo en las que acumulas grasa. Hasta que no empieces a utilizar correctamente el torso, las zonas problemáticas no desaparecerán.

¿Por qué no consigo librarme de las áreas problemáticas?

Tengo las **caderas anchas** y parezco mayor

Esto puede deberse a dos tipos de posturas diferentes: cuando usamos demasiado los músculos entre las caderas y la zona lumbar, los glúteos se hacen más prominentes. Por otra parte, cuando no usamos los músculos de las caderas, se produce el efecto contrario y los glúteos se caen. En ambos casos, los débiles músculos del torso son los causantes.

Los brazos me tiemblan cada vez que los muevo

Cuando los hombros se adelantan y los codos se doblan, los movimientos se reducen y se empieza a acumular grasa. Pero, si el tronco trabaja para mantener los hombros en una posición correcta y puedes estirar los brazos hasta la punta de los dedos, estilizarás los brazos.

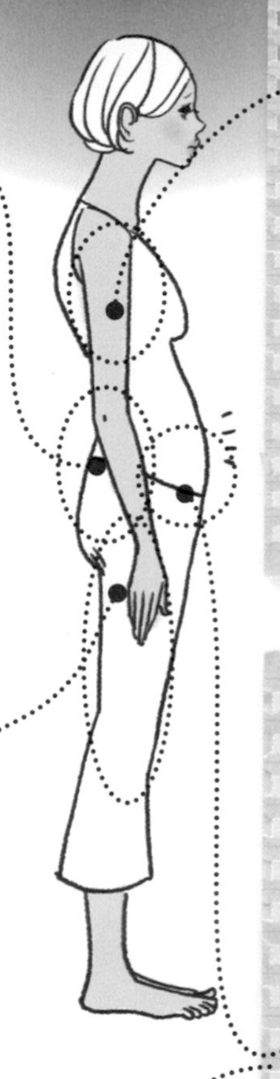

Me cuesta encontrar pantalones debido al **volumen de mis piernas**

Cuando la pelvis está inclinada, las piernas tienen que tener más fuerza de lo necesario. Como consecuencia, el efecto es el mismo que si ejercitases constantemente las piernas y los muslos adquieren un aspecto muscular de forma natural.

Tengo **barriga...** aunque no acabe de comer

Cuando no tenemos los músculos del torso lo bastante fuertes, lo compensamos sobrecargando las caderas y nos sale esa «barriga». En concreto, cuando adelantamos la pelvis, curvamos las lumbares y el abdomen pierde fuerza y se hace prominente. Si te acostumbras a adoptar esta postura, siempre tendrás esta barriga.

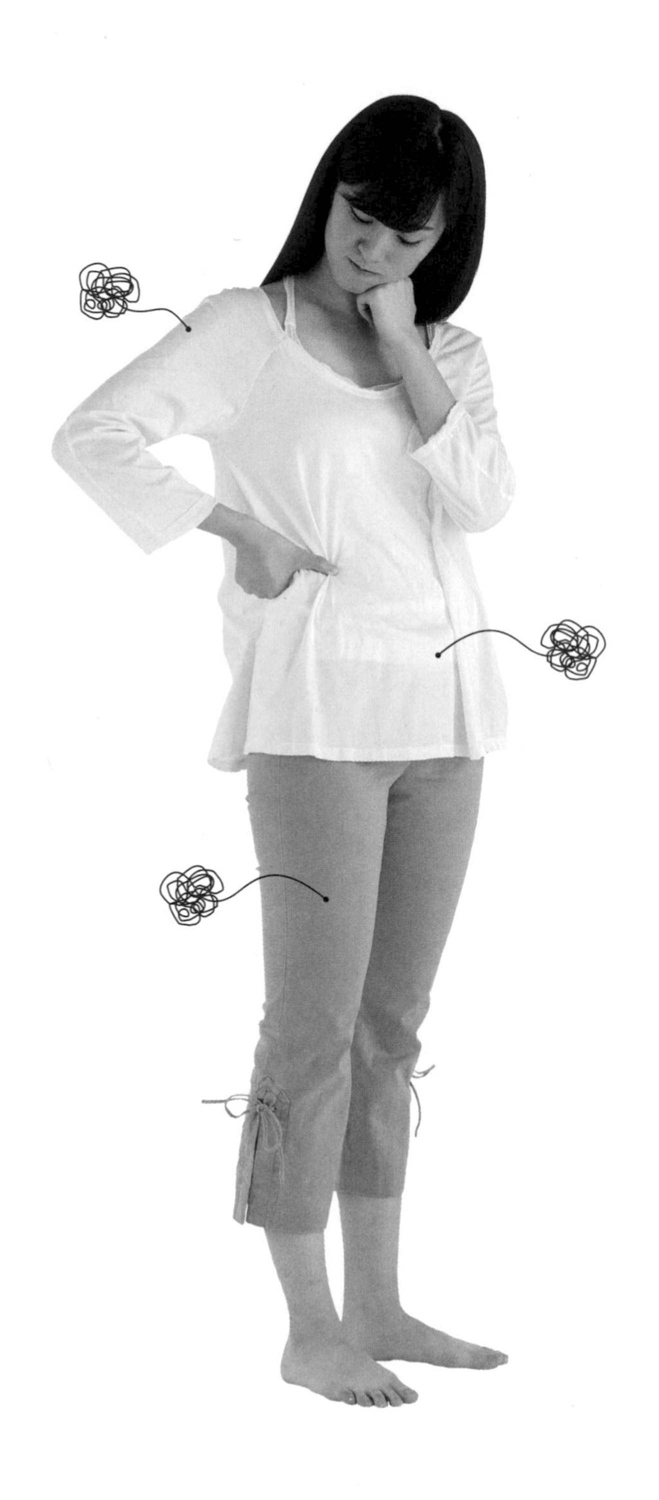

¿Por qué el ejercicio hace que las áreas que quiero adelgazar aumenten de volumen?

Para empezar, me gustaría contarte una verdad absoluta sobre la grasa corporal: «La grasa corporal varía en todo el cuerpo». Si corres, nadas, o levantas pesas y consumes más calorías de las que ingieres, reducirás el nivel de grasa corporal de forma proporcional.

Es decir, que, lamentablemente, no hay ningún ejercicio que te permita perder grasa de una área del cuerpo en concreto.

Si quieres adelgazar los muslos y te concentras en ejercitarlos, solo conseguirás resultados no deseados. La musculatura de los muslos se fortalecerá si la trabajas cada vez más. Si queremos perder peso sin hacer mucho esfuerzo, debemos fijarnos en el metabolismo basal —la energía necesaria para vivir— y aumentar la cantidad de energía que consume nuestro cuerpo para mantener las funciones vitales.

Si haces los ejercicios que recojo en este libro, comenzarás a usar los músculos del torso adecuadamente. Entonces, las articulaciones empezarán a moverse bien y todos los músculos del cuerpo trabajarán de forma equilibrada.

Aunque no realices ejercicios extenuantes, tu metabolismo basal se acelerará considerablemente y el índice de grasa corporal disminuirá. Tu cuerpo se tonificará en poco tiempo.

Una dieta errónea ralentiza el metabolismo basal

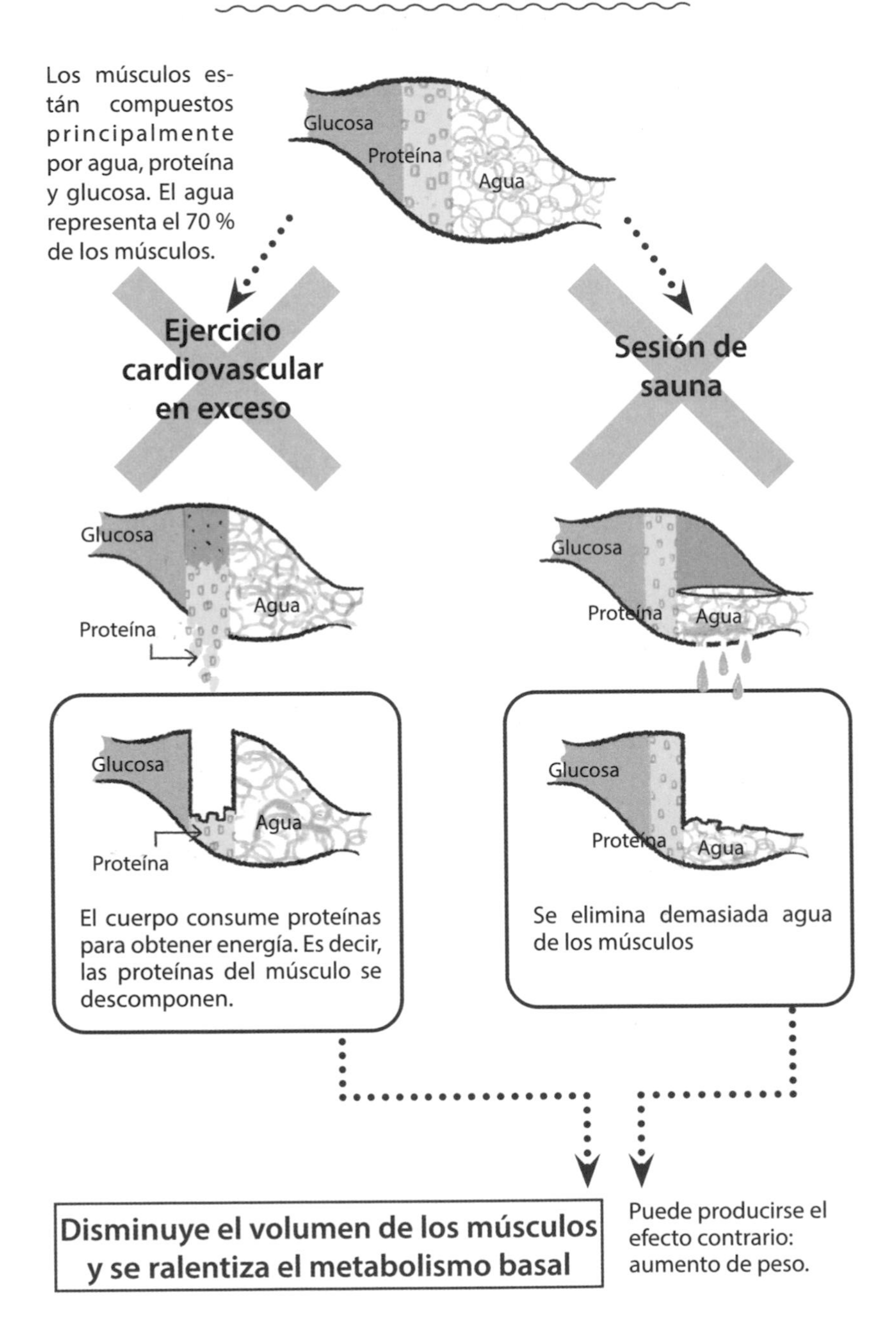

Las sesiones de ejercicio cardiovascular prolongadas no solo son un sin sentido, sino que, además, son dañinas

Un 70 % de nuestros músculos está compuesto por agua. Por tanto, cuando sudas mucho o no bebes suficiente agua, los músculos no trabajan correctamente y reducen su masa. Además, si estás a régimen y practicas ejercicios cardiovasculares, como correr más de 90 minutos por semana, la pérdida muscular y el consumo energético de tu cuerpo aumentará. Es decir: **puede que pierdas los músculos que necesitas para acelerar el metabolismo basal y mantener una postura correcta**.

Por lo tanto, meterse en una sauna para calentar el cuerpo y sudar o hacer demasiado ejercicio cardiovascular no es nada recomendable.

En cambio, si practicas todos los días los ejercicios del método Sakuma durante 5 minutos —un total de 35 minutos a la semana—, no debes preocuparte por desgastar los músculos por exceso de ejercicio. Dado que solo te llevará 5 minutos, incluso aquellos a quienes no les gusta hacer ejercicio podrán realizarlos.

Cuando mantienes el torso equilibrado y aumentas el número de músculos que empleas en el día a día, también aumentas la ingesta calórica mientras duermes, por lo que quemarás todas las calorías posibles durante las 24 horas.

EL SECRETO DEL MÉTODO SAKUMA

1. Reducir el volumen de los músculos principales adelgaza

El método Sakuma tiene tres secretos. Uno de ellos es que las personas adelgazan porque reducen el volumen de los músculos principales.

Como he contado anteriormente, **mucha gente piensa, erróneamente, que se puede perder peso ejercitando las áreas donde se quiere adelgazar.** Creen que, así, conseguirán reducir el nivel de grasa corporal y tener una figura esbelta. Por ejemplo, algunas personas que tienen barriga hacen abdominales o torsiones creyendo que así reducirán el volumen de la cintura. Son precisamente estos ejercicios los que causan el fracaso.

El 70 % de las mujeres japonesas desplazan la pelvis adelante (anteversión). Veamos qué músculos usan estas mujeres y cuáles no. Las personas que tienen la pelvis en anteversión a menudo utilizan demasiado los músculos lumbares y los cuádriceps. En cambio, podría decirse que casi nunca usan los de detrás de los hombros, la parte superior del tórax, el abdomen, la espalda, la parte alta de las caderas, las caras interior y posterior de los muslos y las pantorrillas.

Si sigues haciendo ejercicios con la pelvis en anteversión, acabarás usando solo los músculos que estás acostumbrada a usar. El resultado es que la región lumbar y la cara frontal de los muslos, que ya son voluminosos, se desarrollarán más y aumentará el volumen del tren inferior, con lo que obtendrás una silueta con forma de pera.

Por lo tanto, no hay que usar los músculos que ya son voluminosos; hay que «reducir» su volumen.

Si ejercitas músculos que no sueles utilizar, conseguirás reducir el volumen de las áreas problemáticas y adelgazarás.

Las personas que quieren adelgazar las piernas o la cadera pueden obtener resultados no deseados si entrenan con pesas

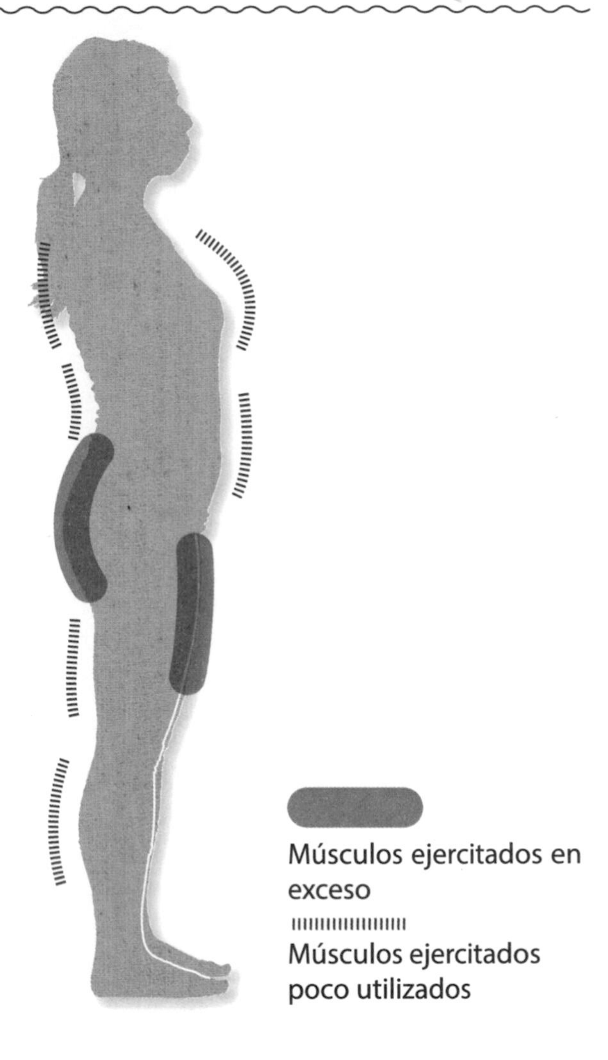

Solo hay dos áreas cuyos músculos se utilizan mucho; en cambio, tenemos ocho zonas poco utilizadas —incluidos los músculos de las caras internas—. Esto quiere decir que esta persona solo está usando el 20 % de los músculos que debería estar ejercitando lo que también provoca una sobrecarga en los huesos y los tendones, que puede causar malestar como dolor lumbar. A menos que aprendas a utilizar el torso correctamente, continuarás usando solo el 20 % de los músculos.

Tu postura se corregirá sola

En esta parte voy a hablar con mayor profundidad sobre los músculos que las supermodelos trabajan en su día a día.

Cuando utilices los diversos músculos del torso, enderezarás la columna vertebral, mantendrás la pelvis en perpendicular al suelo y tonificarás el tronco. Son muchos los músculos que conforman el torso y es posible que sus nombres no te resulten familiares. Por eso, en este libro, hablaré de ellos como «los **músculos del torso de las modelos**». Estos músculos son imprescindibles para mantener una postura correcta como la de una modelo.

¿Cuál es «la postura correcta»? Con esta expresión me refiero a la postura que adopta el cuerpo cuando cinco articulaciones que soportan mucho peso —cuello (orejas), hombros, pelvis, rodillas y tobillos— están alineadas en perpendicular al suelo. Con el método Sakuma, conseguirás recolocar tres de estas cinco articulaciones, y, una vez esto ocurra, las otras recuperarán su posición de forma natural. Entre los músculos del torso que empezarán a trabajar, los «músculos respiratorios» corregirán las articulaciones del cuello; los músculos que se encuentran debajo de los omóplatos corregirán las articulaciones de los hombros, y los músculos de las caderas y de la parte interna de los muslos corregirán la posición de la pelvis y las rodillas. Gracias a ello, el cuerpo adoptará una postura correcta y se corregirá la anteversión o retroversión de la pelvis. Al usar músculos que nunca has utilizado, como los del abdomen, los de la espalda o los infracostales (debajo de las costillas), tonificarás la cintura y la parte inferior de la caja torácica al tiempo que reducirás el volumen de los músculos de los muslos, las caderas y las pantorrillas.

Cuando tres de las cinco articulaciones se alinean, se corrige la postura

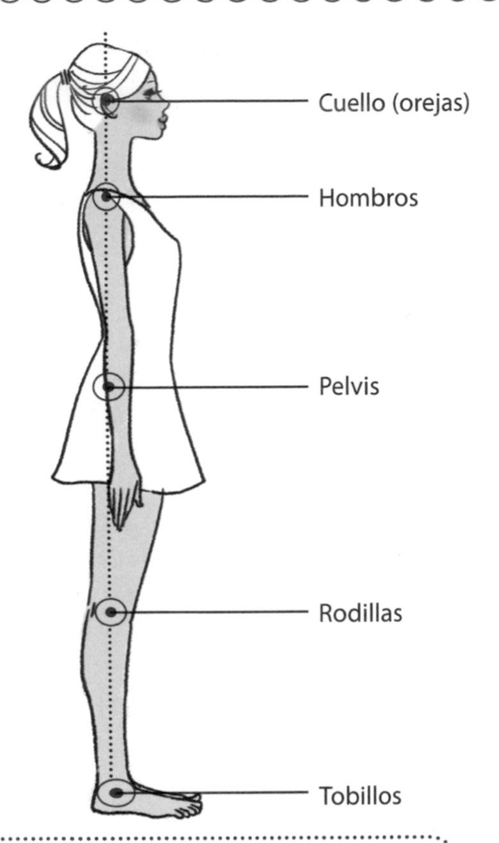

¿Qué conforma el torso de una modelo?

1. **Los músculos del abdomen, la espalda y alrededor de los omóplatos (transverso abdominal y trapecio)** tiran de los hombros y sostienen el torso.
2. «**Los músculos respiratorios» (esternocleidomastoideo, escalenos, intercostales externos y diafragma)** son los músculos que van desde el cuello hasta alrededor de las costillas y que enderezan la columna vertebral.
3. **Los músculos de las caderas y los muslos (glúteo mayor, glúteo medio y aductores)** mantienen la pelvis en una posición correcta.

Estos tres grupos musculares conforman lo que yo llamo «el torso de una modelo». Cuando estos músculos empiecen a trabajar, las zonas voluminosas y problemáticas desaparecerán.

También es eficaz para corregir la estructura ósea

Pensemos en lo que puede ocurrirle a un cuerpo que no usa los músculos del torso de una modelo. Independientemente de la inclinación de la pelvis, la espalda se encorva, por lo que el cuello cae hacia delante y parece más corto. Los hombros se meten hacia dentro, el pecho se cae y la tripa se hace más prominente.

En cuanto al tren inferior, a aquellas personas que tienen la pelvis en anteversión se les arquean las lumbares y les sobresalen las caderas. Como consecuencia, las rodillas rotan hacia dentro. Por contra, aquellas que tienen una posición de pelvis en retroversión tienen los glúteos planos y las rodillas arqueadas hacia fuera.

En todos estos casos, el problema se debe a un uso desequilibrado de los músculos del torso. Aunque tengamos una buena estructura ósea y una figura adecuada, nuestro cuerpo parecerá más voluminoso y musculado.

Cuando trabajamos el torso, el cuello se estira hacia arriba, en perpendicular al suelo, los hombros se llevan hacia atrás, el tórax sube y la columna vertebral adquiere un aspecto erguido. Esto también hace que el pecho se levante, que el ombligo suba y se tonifique el abdomen. De frente, los codos miran hacia dentro, lo que consigue que la figura se vea más esbelta, como la de una modelo que posa. Además, la pelvis recupera su posición natural, perpendicular al suelo, por lo que, de lado, veremos también una silueta más estilizada. Las rodillas rotan ligeramente hacia dentro y hacen que las piernas tengan un aspecto más atractivo.

La gente cree que un cuerpo más robusto de lo normal se debe a la estructura ósea de la persona en cuestión, pero lo cierto es que lo que más influye en nuestra figura es cómo usamos los músculos del torso.

Estas dos mujeres tienen la misma estructura ósea, ¡pero sus figuras son muy distintas!

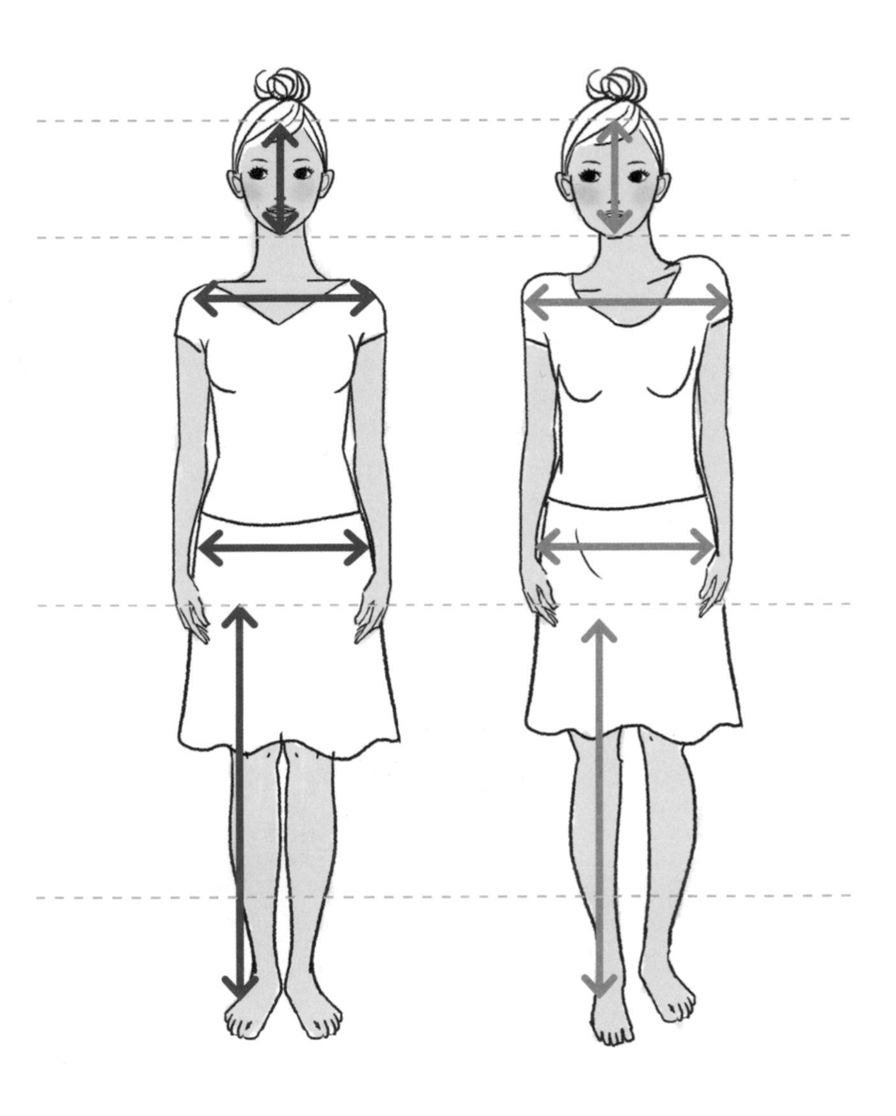

La clave está en el modo en que usamos el torso. Cuando no utilizamos los músculos del torso de forma equilibrada, el cuerpo parece más voluminoso.

2. Dispara el consumo de energía sin esfuerzo

El segundo secreto del método Sakuma es **disparar el consumo de energía durante el día, sin necesidad de realizar ejercicios extenuantes.**

Cuando ejercitamos los músculos del torso, los músculos de todo el cuerpo se usan de forma equilibrada. ¿Por qué esto es tan importante?

Porque, en realidad, la forma más eficiente de incrementar el consumo de energía que el cuerpo necesita para sobrevivir, sin hacer ninguna actividad —el metabolismo basal— es aumentar la masa muscular que utilizamos.

El metabolismo basal supone el 70 % del consumo total de energía diario, y un 40 % de esa energía se consume a través de los músculos. Tenemos más de 400 músculos en todo el cuerpo; por lo tanto, aunque realices ejercicios duros para fortalecer alguno de estos músculos, como el recto abdominal, eso supone

una cuadringentésima parte de los músculos de todo el cuerpo. **Un método más efectivo de acelerar el metabolismo basal es adoptar una postura que te obligue a usar los músculos del torso y que aumente significativamente el número de músculos que utilizas en tu día a día.**

Una mujer de entre 20 y 30 años que hace una vida normal podrá dedicar, como mucho, dos horas para hacer ejercicio algún día durante el fin de semana. Si tenemos en cuenta que una semana tiene 168 horas, aunque hayas realizado una ardua sesión de ejercicio, todavía quedarán 166 horas durante las cuales no estarás haciendo nada. La mejor manera de acelerar el metabolismo basal es usando muchos músculos mientras respiras y te mueves a lo largo del día. De ese modo, no tendrás que estresarte por cuántas horas al día dedicas a hacer ejercicio: es mucho más sencillo y eficiente tener un cuerpo que consume energía de forma constante. Ese es el secreto de que el método Sakuma haya ayudado a tantas mujeres a hacer sus sueños realidad.

Es eficaz tanto para personas con sobrepeso y mucha grasa como para personas muy musculadas

La mayoría de las personas se ponen a dieta porque no están contentas con alguna parte de su cuerpo: «¡Tengo mucha barriga!» o «¡Mis muslos son enormes!». Por desgracia, cuando empezamos una dieta, si el uso de los músculos del torso todavía está desequilibrado, da igual cuánto te esfuerces por perder peso: tu figura no cambiará. Es más, no será nada extraño que se produzca un efecto rebote en cualquier momento y recuperes tu peso original.

Aquellas personas que tienen la pelvis en anteversión suelen tener el abdomen, las caderas, los muslos y las pantorrillas voluminosos, mientras que las que tienen la pelvis en retroversión a menudo tienen la parte superior de los brazos y los muslos flácidos, y las pantorrillas tensas. Es muy triste que una persona que esté a dieta te diga: «Me he esforzado mucho con la dieta, pero, aun así, no he perdido volumen en las partes que menos me gustan». «Parece que solo he perdido un poco de peso en general»; «Hacer dieta hace que me sienta demacrada».

Si aprendes a usar los músculos del torso de forma equilibrada mediante el método Sakuma, te sentirás más ágil y la grasa rebelde originada por movimientos de articulaciones incorrectos comenzará a desaparecer.

El primer paso es dejar de usar en exceso un número limitado de músculos y empezar a trabajar muchos más.

Los músculos se rigen por el principio «todo o nada». Es decir, que o bien usas el 100 % de la fibra muscular a pleno rendimiento o los músculos no trabajan en absoluto. Por lo tanto, si empiezas a ejercitar en todo momento los músculos que hasta ahora no usabas, **acelerarás el metabolismo basal de tu cuerpo y el consumo de energía se disparará.** Así, la grasa que quieres eliminar se desvanecerá sin necesidad de acudir a difíciles rutinas de ejercicio.

Incrementa el
consumo de energía y

reduce

la grasa

Disminuye el volumen
de los músculos y

cambia

tu figura

3. Cambia los músculos que usas por otros y evita el efecto rebote

El tercer secreto del método Sakuma es que no hay riesgos de sufrir un efecto rebote, el peor enemigo de las personas que están a régimen.

Por lo general, estar a régimen supone restringir la ingesta calórica y hacer ejercicio. Reducir el consumo de alimentos conlleva una serie de riesgos: desnutrición y pérdida constante de la masa muscular. Pero es que, además, si reduces el número de ingestas o la cantidad de calorías, disminuirás la capacidad de absorción de los órganos internos.

Cuando esto ocurre, el metabolismo basal se reduce de golpe y el consumo de energía que tu cuerpo necesita disminuye significativamente. Entonces, aunque no reduzcas la cantidad de comida o tu rutina diaria, empezarás a acumular grasa.

No obstante, si sigues el programa del método Sakuma y practicas una serie de ejercicios durante 5 minutos al día, reestablecerás el desequilibrio de los músculos del torso. Esto te permitirá conseguir una figura más esbelta y elegante. **Solo utilizarás sin**

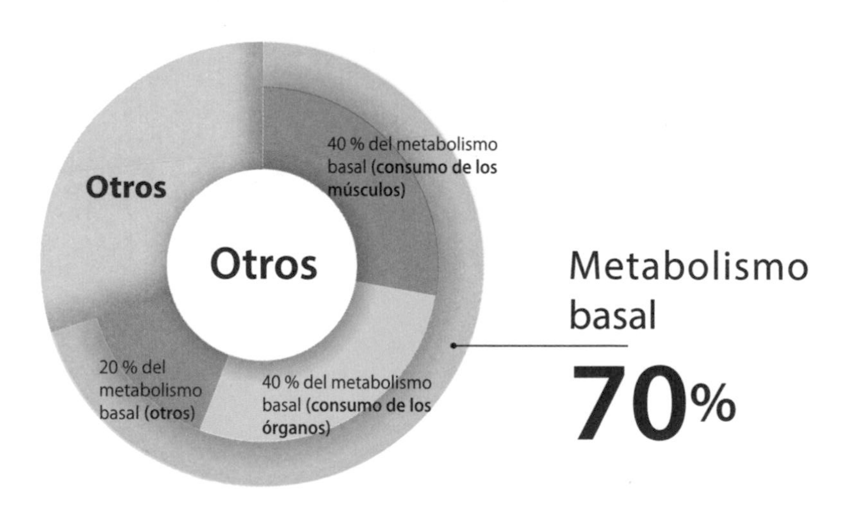

darte cuenta un número mayor de músculos en tu día a día, por lo que no hay riesgo de engordar.

Asimismo, después de dos meses, acelerarás tu metabolismo basal y un 60 % del total de los músculos trabajará cuando ejercites el torso. Después, el 40 % restante empezará a trabajar, por lo que, aunque no continúes con los ejercicios, conservarás una postura que te obligará a utilizar músculos de todo el cuerpo. Esta es la razón por la que no sufrirás ningún efecto rebote.

Razones por las que no sufrirás un efecto rebote con el método Sakuma

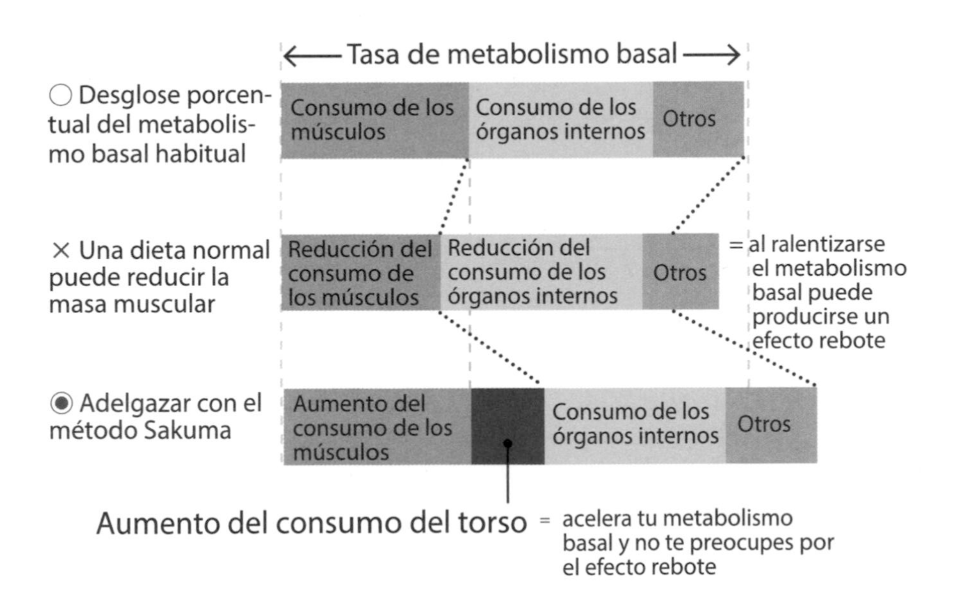

3. Cambia los músculos que usas por otros y evita el efecto rebote

Los músculos que no están trabajando empezarán a despertar

Existe un estudio que demuestra que las modelos usan a diario músculos distintos a los que utilizamos los demás. Para el experimento, modelos y personas normales y corrientes caminaron en una máquina de correr y se analizaron los grupos de músculos utilizados por ambos grupos de sujetos a través de una electromiografía. Las modelos mantuvieron en todo momento las piernas rectas, en perpendicular al suelo, y los monitores registraron una ligera actividad de la parte interior de las piernas (aductores y tibiales anteriores), mientras que los exteriores, a los lados, no trabajaban en absoluto. En cambio, los músculos del torso (abdomen, espalda y cadera) se mostraron activos.

Por otra parte, la gente normal casi no utilizaba el torso y tenía la pelvis en anteversión o retroversión, por lo que no mantenían una buena postura y ejercitaban solo los músculos externos de las piernas. Las personas con la pelvis en anteversión abusaban de la parte superior de los muslos y, también, de la parte superior de las pantorrillas, mientras que aquellas que llevaban la pelvis hacia atrás, en retroversión, utilizaban la parte inferior de los muslos y las pantorrillas, por lo que esas áreas estaban mucho más musculadas.

Gracias a este experimento, la Universidad de Tokio descubrió que «si los sujetos caminaban con la barriga metida, trabajaban muchos más músculos y el gasto energético aumentaba en un 40 %». Por ello, si utilizamos el torso como una modelo, incrementaremos de forma similar el consumo calórico. Los sujetos de este estudio adoptaron la misma postura que tenemos si utilizamos el torso de una modelo. Cuando usamos el torso y los músculos de la cara interna de las piernas al caminar, el gasto energético se intensifica y, en consecuencia, obtendremos una figura más elegante sin mayor esfuerzo.

La mayoría de las mujeres tienen el torso inactivo

Supermodelo

Adelgazará de forma constante si los músculos del torso están activos.

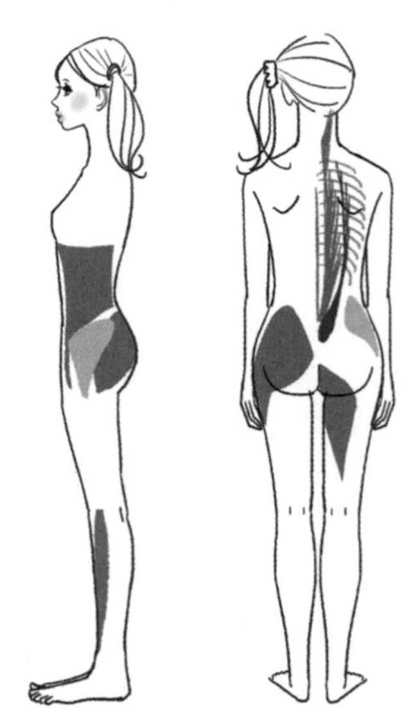

Persona normal y corriente

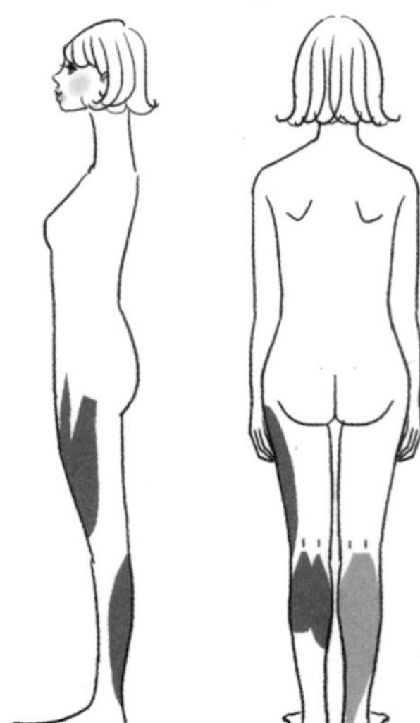

Su metabolismo basal es lento porque el torso está inactivo.

1. Tonifica y adelgaza el rostro

Cuando no usas el torso como una modelo, el cuello se inclina hacia delante y parece que el cuello sea más corto. Entonces, la barbilla se hace prominente y el rostro se ve más grande. Todo esto hace que parezca que nuestro cuerpo es más voluminoso de lo que realmente es. Al hacerse un *selfie,* muchas mujeres sostienen el teléfono en un ángulo hacia arriba y llevan la barbilla hacia el cuello. ¿Por qué? Porque saben por experiencia que, cuando sacan la barbilla, el rostro parece más grande. Si haces justo lo contrario, obtendrás el efecto opuesto.

En cambio, cuando usamos el torso como las *top models,* mantenemos el cuello erguido, en posición vertical, y llevamos la barbilla hacia el cuello de forma natural. De este modo, nuestra cara parece mucho más fina de repente.

Llegados a este punto, estoy seguro de que quizá pienses: «Ah, entonces ¿solo es una sensación?». No, claro que no: también perderás volumen.

Cuando utilizamos el torso adecuadamente, el cuerpo elimina los líquidos. Cuando inclinamos el cuello hacia delante y se encoge, presiona los músculos esternocleidomastoideos, que se endurecen y obstruyen el flujo de linfa. Eso hace que tanto el cuerpo como la cara se hinchen. En cambio, con una buena postura que nos obligue a utilizar correctamente el torso, como las modelos, el cuello estirará los músculos esternocleidomastoideos y **el flujo de linfa mejorará.** Así, evitaremos la retención de líquidos en la cara y el cuerpo y tonificaremos nuestra figura.

Evita la retención de linfa y consigue un rostro más fino

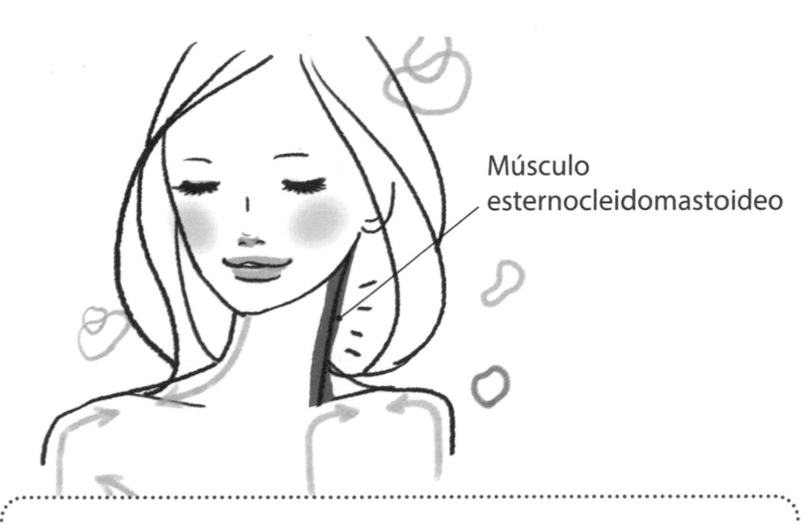

Los músculos esternocleidomastoideos son unos de los músculos que conforman el torso de las modelos. Justo debajo de ellos se encuentran las clavículas y los ganglios linfáticos. Después de circular por todo el cuerpo, la linfa llega al ganglio linfático que se sitúa debajo de la clavícula izquierda.

2. Despídete de los dolores del cuello, espalda y cabeza, el estreñimiento y el frío

Cuando aprendemos a utilizar el torso correctamente, las articulaciones del cuello y los hombros, dos de las cinco articulaciones principales del cuello, se alinean de forma natural, con lo que se consigue **eliminar el dolor de cuello y hombros que suele provocar una mala postura,** y también **podrás decir adiós a los dolores de cabeza causados por estos malestares.**

Además, **el método Sakuma es efectivo para luchar contra el estreñimiento, un problema que afecta a muchas mujeres.**

Cuando nuestro torso está inactivo, encogemos la espalda, inclinamos las caderas hacia atrás y los órganos internos se desplazan hacia abajo. Al encontrarse en esa posición, no funcionan como deberían. Uno de los síntomas de este estado es una absorción de los nutrientes deficiente y una mala digestión.

Si recuperamos el equilibrio del torso, con la ayuda de los músculos de las modelos, el funcionamiento de los órganos internos mejora y nuestro sistema digestivo empieza a trabajar sin complicaciones. De esta forma, se evita el estreñimiento.

El 60 % de nuestra temperatura corporal la producen los músculos. Por ello, si usamos correctamente el torso e incrementamos el número de músculos activos, aumentaremos nuestra temperatura corporal. **Esto nos hará más resistentes al frío, uno de los achaques más habituales entre las mujeres.**

Como ves, el método Sakuma no solo te ayudará a adelgazar, sino que también te permitirá luchar contra el dolor, el estreñimiento y la sensibilidad al frío.

El método Sakuma es efectivo para muchos problemas de salud femenina

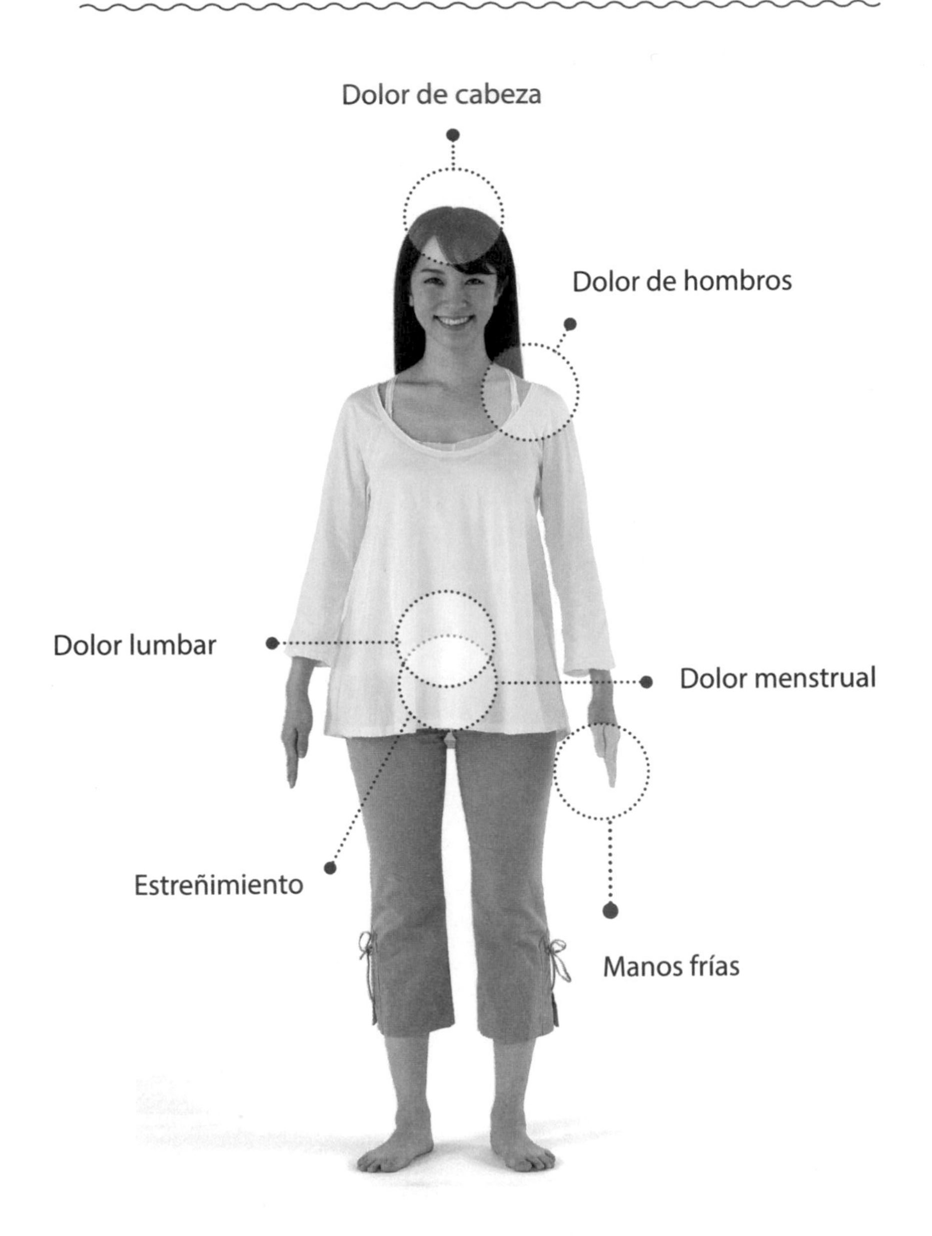

3. Consigue resultados, aunque tengas más de cuarenta años

En general, cuando envejecemos y a medida que hacemos más dietas, la facilidad para adelgazar se reduce. Cada vez que una mujer se pone a régimen y sufre un efecto rebote, disminuye la masa muscular y la grasa corporal aumenta constantemente. Como es de esperar, cuanto más disminuye la tasa metabólica de una mujer, más difícil le resultará completar un programa de régimen con éxito y desarrollará un cuerpo al que le costará mucho perder peso, pero no ganarlo.

Otra razón por la que adelgazar se convierte en una tarea más difícil con el paso del tiempo es que, a medida que envejecemos, tenemos menos masa muscular. A partir de los veinte años, perdemos músculo progresivamente. **La pérdida de los «músculos penados» —los músculos que nos ayudan a mantener una buena postura (abdomen, espalda, ingles y muslos)— se produce mucho más rápido de lo habitual cuando no utilizamos los músculos del torso como es debido.**

Por lo general, debido a su equilibrio hormonal, a las mujeres les cuesta más muscularse que acumular grasas. Las mujeres tienen solo un 5 % de la cantidad de testosterona —la hormona masculina— que tienen los hombres. Esta hormona facilita la creación de músculo. Además, cuando aumentan los niveles de progesterona —la hormona femenina—, las mujeres tienden a acumular más grasa.

Por eso, al realizar demasiados regímenes, la pérdida de los músculos que trabajan para mantener una buena postura o la influencia hormonal reducen los músculos e inclinan la pelvis, no trabajan todos los músculos sino solo algunos.

Por eso, al hacer muchas dietas, la pérdida de los músculos que nos permiten mantener una buena postura o la influencia hormonal reducen la masa muscular. Esto provoca que la pelvis se incline hacia delante o atrás. A partir de ese momento, los únicos músculos que trabajan son aquellos que cargamos en exceso a causa de una mala postura.

Si sigues el programa del método Sakuma, corregirás la postura y la posición de la pelvis y empezarás a usar muchos músculos de todo el cuerpo, incluidos aquellos que te permitirán corregir tu postura. **Estos ejercicios compensarán la pérdida de masa muscular que provoca la edad y te permitirán adelgazar tengas veinte o más de cuarenta años.**

Calentar el cuerpo desde el exterior no te ayudará a acelerar el metabolismo basal

Mucha gente toma baños calientes o se mete en la sauna para sudar un buen rato porque cree que eso les ayudará a adelgazar o acelerará su metabolismo. Pero no es cierto. El sudor regula la temperatura corporal; es la reacción de nuestro cuerpo ante una situación de peligro. De hecho, las personas que pasan más de 90 minutos a la semana en la sauna o practicando *hot yoga* no van a acelerar su metabolismo. Cuando el cuerpo se deshidrata, los músculos, compuestos en un 70 % por agua, no pueden trabajar correctamente e incluso pierden volumen. El resultado es que el metabolismo se ralentiza y el gasto energético disminuye.

Nuestros cuerpos consumen energía cuando practicamos ejercicio, como caminar o correr, y sudamos a consecuencia del calor generado por el uso de nuestros músculos. Sin embargo, calentar el cuerpo desde el exterior es completamente distinto. Por mucho calor que pasemos, no conseguiremos aumentar el consumo calórico de nuestro cuerpo ni aceleraremos nuestro metabolismo.

Capítulo 2

Ejercicios para estilizar el torso

Todo el mundo puede activar su torso en dos semanas

Si te dicen que tienes la pelvis en anteversión o retroversión, es posible que no sepas reconocerlo o que no lo entiendas. También puede que no sepas qué músculos tienes duros, flexibles, fuertes o débiles. Por eso, en este libro te enseñaré una serie de ejercicios con los que cualquier persona obtendrá unos buenos resultados. Gracias a ellos, conseguirás el torso de una modelo.

Cuando seas capaz de usar adecuadamente estos músculos, las cinco articulaciones más sobrecargadas del cuerpo —el cuello, los hombros, la pelvis, las rodillas y los tobillos— se alinearán. De esta forma, corregirás tu mala postura y adoptarás la de una modelo.

Si realizas los siguientes ejercicios durante dos semanas, corregirás tu postura y la posición pélvica de forma natural, aunque tengas la pelvis inclinada hacia delante o atrás, o los músculos débiles o tensos. Con solo 5 minutos de ejercicios al día, los músculos sobrecargados dejarán de trabajar tanto y comenzarás a usar el torso como una modelo. Si lo haces, todos los músculos de tu cuerpo pronto estarán trabajando de forma equilibrada sin ni siquiera darte cuenta.

Una rutina sencilla de 5 minutos al día

La mayoría de las personas se centran en ejercitar los músculos que usan en exceso a diario. Como resultado, estos músculos a menudo aumentan de volumen. Pero eso no te ocurrirá con los ejercicios del método Sakuma para conseguir el torso de las modelos.

Por otra parte, aunque quisieras, lo más probable es que no fueses consciente de los músculos que estos ejercicios trabajan. Pero no te preocupes: si sigues mi programa, empezarás a usarlos de forma natural sin ni siquiera advertirlo.

¡No te pases!: la regla básica del método Sakuma

Las buenas noticias son que, en el método Sakuma, las sesiones de ejercicio están limitadas. Para obtener los mejores resultados, solo tienes que realizar los ejercicios siguientes en el orden que te indico. Cada uno de ellos te llevará 1 minuto, por lo que las sesiones no superarán los 5 minutos al día. Como mucho, puedes repetir esta serie dos veces al día; no te excedas. **Durante las dos primeras semanas, deberás hacer ejercicio todos los días y, a partir de la tercera semana, puedes reducir estas sesiones a tres por semana.** Si tus músculos se acostumbran a hacer los mismos movimientos, no cambiarán, por lo que la clave consiste en intercalar las sesiones de ejercicio con días de descanso. De este modo, obtendrás los mejores resultados.

Tras dos meses de ejercicio, habrás conseguido el torso de una modelo y no tendrás que hacerlos más tiempo. Puede que pienses que, si haces esto, recuperarás tu antigua figura, pero no debes preocuparte. Es igual que montar en bicicleta: una vez aprendes, nunca lo olvidas, aunque dejes de montar durante mucho tiempo. Del mismo modo, con estos ejercicios, nuestro cuerpo aprenderá a usar los músculos. **El objetivo principal del método Sakuma no es fortalecer los músculos, sino enseñarte a utilizarlos de forma correcta.**

Una vez reduzcas el número de sesiones de ejercicio a tres veces por semana, podrás incluir ejercicios específicos para solucionar problemas concretos que encontrarás a partir de la página 80. Gracias a ellos, alcanzarás los objetivos deseados y te sentirás en buena forma física.

Como norma general, puedes practicarlos en cualquier momento del día, pero si los haces por la mañana, te asegurarás de que el consumo energético de tu cuerpo alcance unos niveles altos durante todo el día. En cambio, si los haces por la noche, restablecerás los malos hábitos que desarrollas a lo largo del día. No necesitas materiales, solo 5 minutos, por lo que puedes empezar hoy mismo.

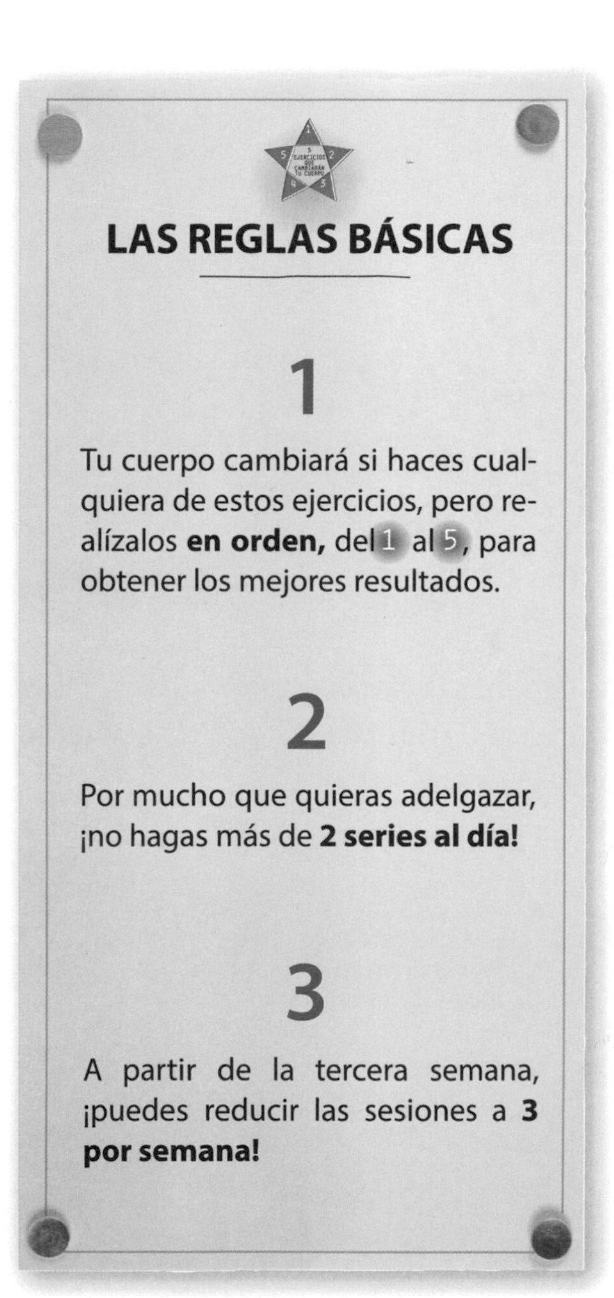

Reduce el volumen del tren inferior

Este ejercicio es clave para desarrollar el torso de una modelo. Estimula los músculos que la mayoría de las mujeres apenas utilizan, como los que están debajo de los omóplatos, los músculos respiratorios, la parte superior de la cadera, la cara interna de los muslos y aquellos que rodean la pelvis. Los ejercicios que trabajan la parte superior de la cadera y el interior de los muslos ayudan a levantar los glúteos y a adelgazar los muslos.

Postura inicial

Túmbate bocabajo, coloca las manos por detrás de la cabeza y lleva la barbilla hacia dentro.

1. Levanta la parte superior del torso y las piernas. Mantén la espalda curvada.

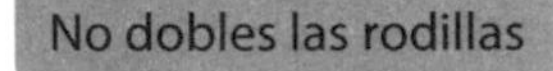

No dobles las rodillas

Si lo haces, los muslos no se levantarán y no estimularás los músculos de la cara posterior.

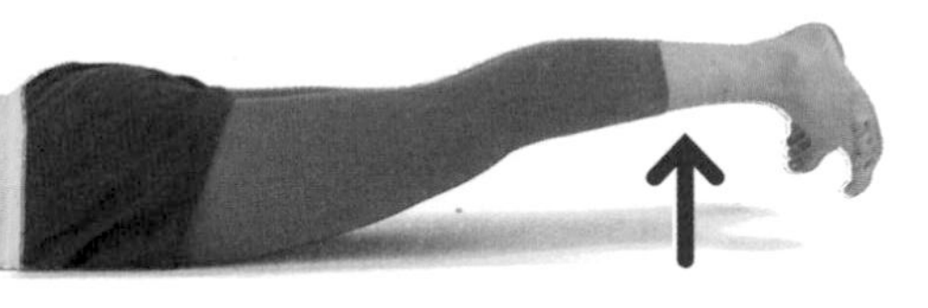

2. Mantén la postura durante 10 segundos y empuja las piernas una contra la otra.

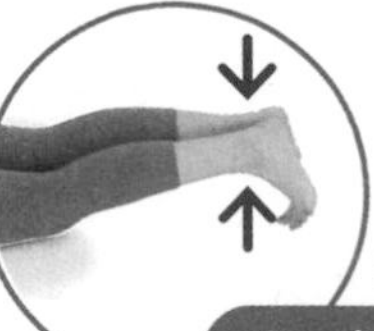

CLAVE

Con las piernas en el aire, junta la parte interior de los talones.

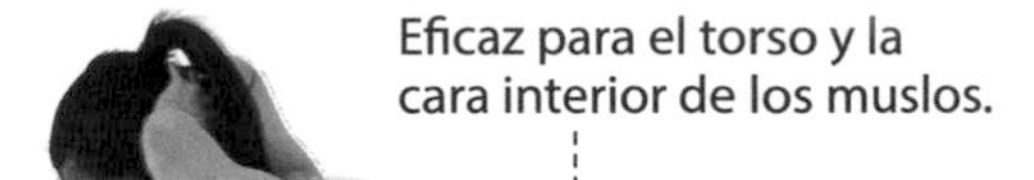

Eficaz para el torso y la cara interior de los muslos.

3. Cruza los pies y mantén la posición durante 10 segundos al tiempo que empujas con las piernas hacia fuera.

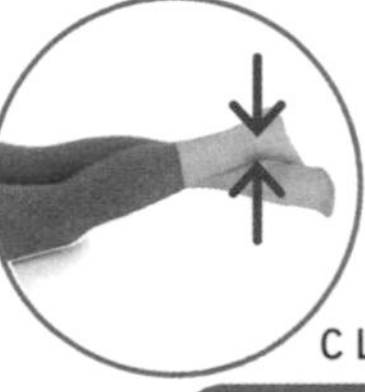

CLAVE

Con las piernas en el aire, junta la parte exterior de los talones.

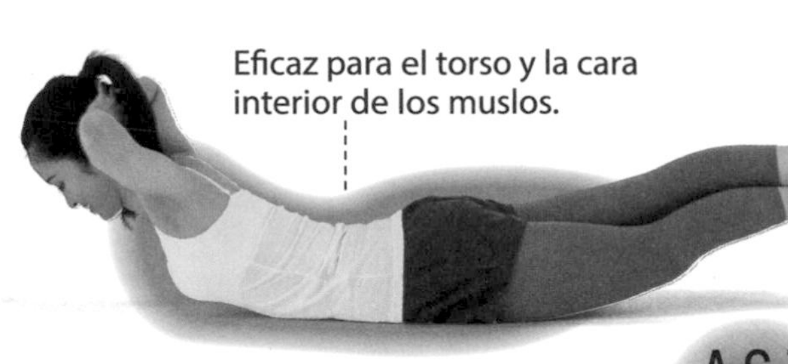

Eficaz para el torso y la cara interior de los muslos.

4. Repite tres veces los pasos 2 y 3.

ASÍ NO

No levantes demasiado la parte superior del torso.

Limita el movimiento de las piernas y reduce el efecto del ejercicio.

MÁS FÁCIL

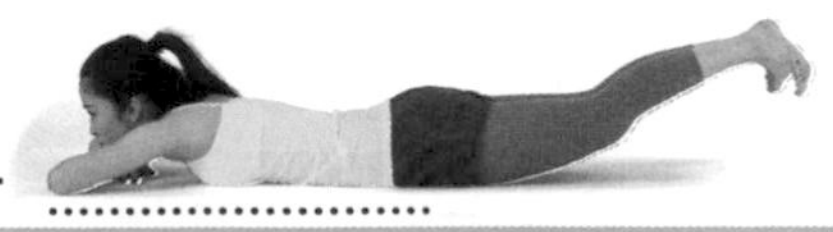

Si el ejercicio te resulta demasiado difícil, puedes hacerlo sin levantar la parte superior del torso.

VE AL EJERCICIO 2

Tonifica las caderas

Si levantas las piernas con las rodillas separadas a los lados, estimularás tanto los músculos de la parte superior de las caderas como los de los laterales, que no se utilizan a menudo.

Gracias a ello, tonificarás las caderas y levantarás su posición.

Este ejercicio te ayudará también a corregir la rotación de cadera, un problema que afecta a muchas mujeres. Por ello, también es efectivo para mitigar los problemas del tren inferior. Además, te ayudará a reducir el volumen de los muslos, eliminar la celulitis y rectificar las piernas arqueadas.

Posición inicial

Túmbate bocabajo.

1. Cruza los tobillos y separa bien las rodillas.

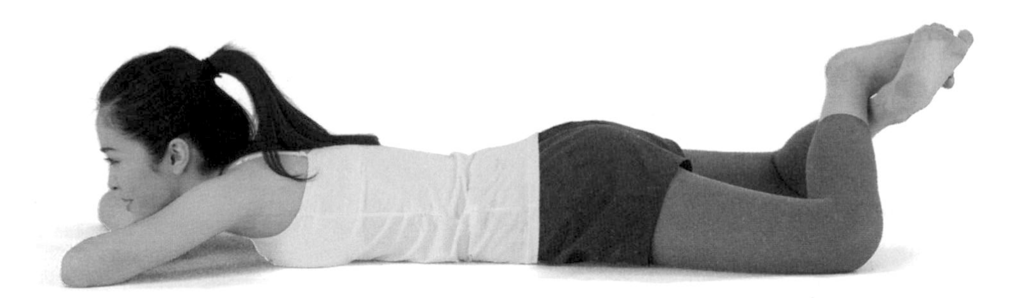

2. Separa los muslos del suelo.

Estiliza la cintura

EJERCICIO

3

Cuando realices este ejercicio, deberás centrarte en los omóplatos.

Aunque en el día a día no «bajamos» a menudo los omóplatos, esta simple acción nos permitirá usar los músculos del torso en cualquier momento.

Este simple gesto ayudará a incrementar el consumo calórico a aquellas personas con una mala postura mientras caminan.

1. Siéntate en la cama o en una silla y coloca las manos en las caderas.

2. Levanta las caderas.

Levanta la cadera izquierda y mantén la postura 3 segundos

Repite 10 veces

Levanta la cadera derecha y mantén la postura 3 segundos

Repite 10 veces

Sube solo una cadera sin mover los hombros. Si levantas la pierna al mismo tiempo te resultará más fácil.

No muevas los hombros ni balancees el cuerpo de un lado a otro.

Si mueves los hombros de arriba abajo, los músculos que hay debajo de los omóplatos no trabajarán.

ASÍ NO

No inclines el torso hacia delante.

Si inclinas el torso hacia delante, no estimularás los músculos de las caderas.

Si haces el ejercicio en el suelo intenta mantener la columna recta en todo momento.

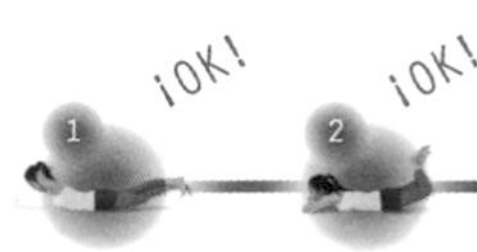

Esta será tu figura cuando

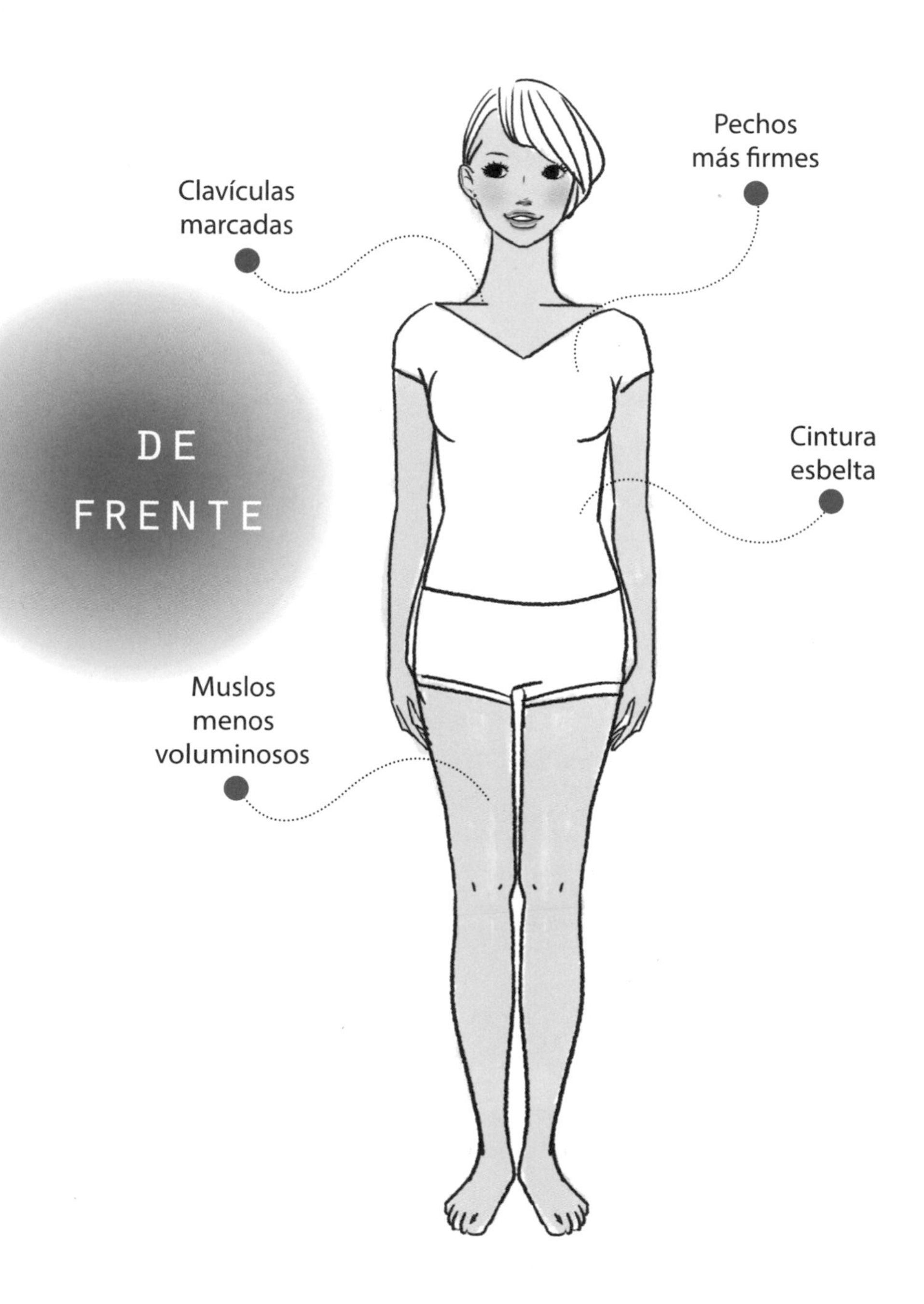

tengas el torso de las modelos

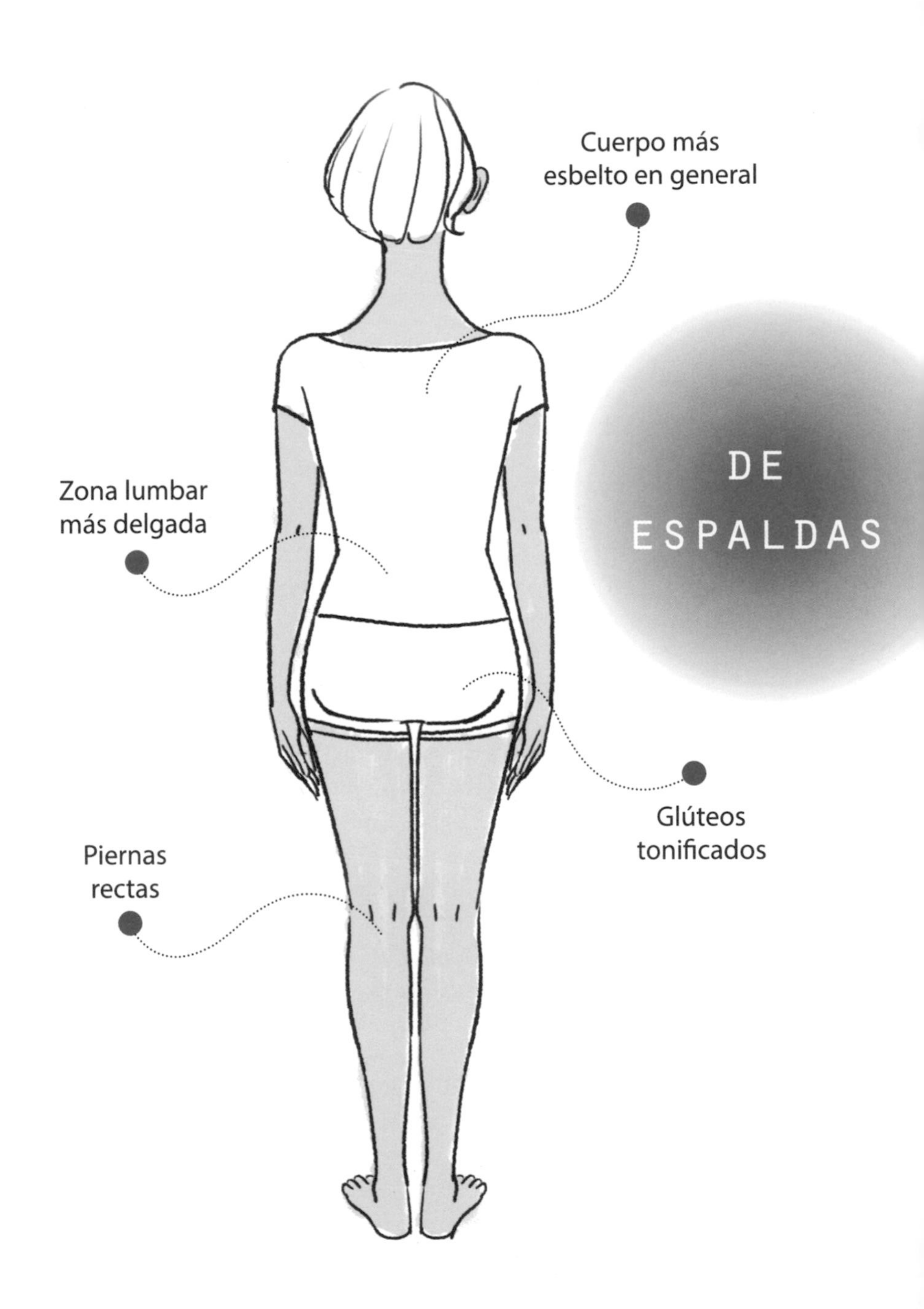

Los ejercicios de moda para el torso no ayudan a adelgazar

Hace un tiempo, los ejercicios que realizaban los atletas para fortalecer el torso se extendieron como la pólvora como nuevo método de adelgazamiento. El objetivo de estos ejercicios de tonificación muscular era mejorar la calidad en la competición. Para un jugador de fútbol, por ejemplo, estos ejercicios le ayudan a crear un cuerpo que resiste mejor los impactos, mientras que los atletas mejoran su estabilidad y su fuerza para prevenir cualquier tipo de movimiento incontrolable cuando saltan o corren. En ambos casos, estos ejercicios permiten conservar grandes cantidades de energía. Es decir, los ejercicios de torso que realizan los atletas no suponen un consumo calórico elevado y, además, tienen el objetivo de crear un cuerpo que no quema mucha energía, por lo que no ayudan a adelgazar.

La tasa de consumo de energía equivale al peso material (peso corporal) multiplicado por la distancia recorrida. Cuando usamos los músculos del cuerpo como una modelo, levantamos el tórax y nuestro centro de gravedad se eleva. Esto provoca que el torso pierda la estabilidad y nos obliga a reequilibrar el cuerpo a menudo cuando estamos de pie o caminamos. Estos movimientos nos ayudan a consumir energía de forma constante.

Capítulo 3

Las claves del régimen con el que mantendrás una figura esbelta de por vida

El primer secreto con el que las modelos mantienen su figura

1. Consume proteínas de calidad en abundancia con cada comida

Si quieres acelerar el metabolismo basal de tu cuerpo y mantener o aumentar la masa muscular que ayuda a consumir energía, debes incluir proteínas en cada comida.

Lo principal que necesitas saber es que debes ingerir 1,5 g de proteína por cada kilo que peses. Una chica que pesa 50 kg tendrá que tomar 75 g de proteína. Teniendo en cuenta que comerá tres veces al día, esta chica deberá consumir 25 g de proteína en cada comida. Esto equivaldría a unos 100 g de proteínas de calidad procedente de huevos, carne o marisco, pues **el contenido proteico de estos alimentos supone, como mucho, un cuarto del total de su peso.** En cambio, debemos evitar alimentos procesados como las salchichas, el jamón dulce, el jamón serrano, las hamburguesas o productos como el surimi, pues contienen azúcares que aumentan los niveles de glucosa en sangre.

No es recomendable tomar productos a base de soja, como el tofu, para obtener proteínas. Un filete de ternera de 150 g contiene 30 g de proteínas; sin embargo, un paquete de tofu de 150 g contiene solo 8 g. Además, mientras que nuestro cuerpo absorbe más del 90 % de las proteínas de procedencia animal, solo absorbe menos de un 40 % de aquellas de procedencia vegetal. Por lo tanto, 150 g de tofu solo nos proporcionan 3 g de proteínas.

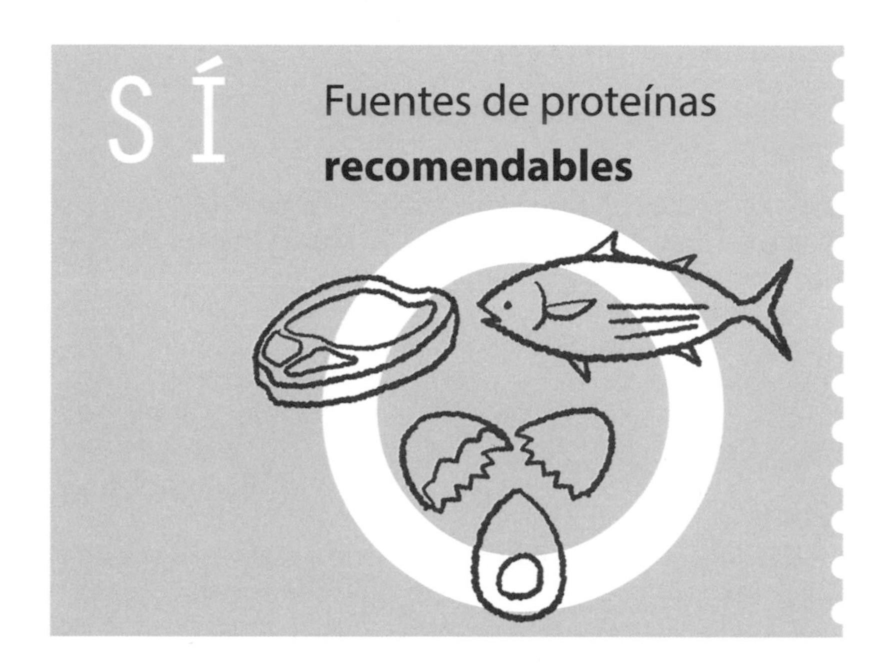
SÍ
Fuentes de proteínas
recomendables

NO
Fuentes de proteínas
no recomendables

2. Desayuna antes de que pase media hora desde que te hayas despertado

Es muy importante desayunar antes de que pase media hora desde que te hayas despertado, pues, **si no desayunamos, ganaremos peso enseguida**.

Probablemente, el grupo de personas con mayor sobrepeso del mundo es el que conforman los luchadores de sumo. Estos deportistas entrenan por la mañana y comen a partir del mediodía. Llevan una alimentación saludable —los guisos *chanko* que toman son platos llenos de nutrientes que contienen muchas verduras—, pero, aun así, engordan cada vez más. ¿Por qué? Porque se saltan el desayuno.

Deja que te explique por qué ocurre esto. Cuando nos despertamos, nuestros cuerpos ya han consumido la energía que ingerimos con la última comida del día anterior, por lo que empieza la gluconeogénesis, un proceso metabólico que permite que el cuerpo utilice los músculos para obtener energía. Si nos saltamos el desayuno, los músculos empezarán a descomponerse, la masa muscular se reducirá y, finalmente, ralentizaremos nuestro metabolismo basal.

Además, si no comemos nada hasta el mediodía, los niveles de glucosa en sangre caen hasta el mínimo. Esto se debe a la falta de carbohidratos. Luego, cuando finalmente comemos, los niveles de glucosa en sangre se elevan tanto como hayan disminuido. Entonces, el cuerpo segrega insulina y empieza a acumular grasa. **Por desgracia, una vez se producen estos aumentos y caídas bruscos de los niveles de glucosa en sangre, este ritmo se mantiene durante todo el día.** Para evitar esta alteración y la acumulación de grasa, hay que desayunar antes de que pase media hora desde que nos hayamos despertado.

Cuando no desayunas el cuerpo segrega la hormona que te hace engordar

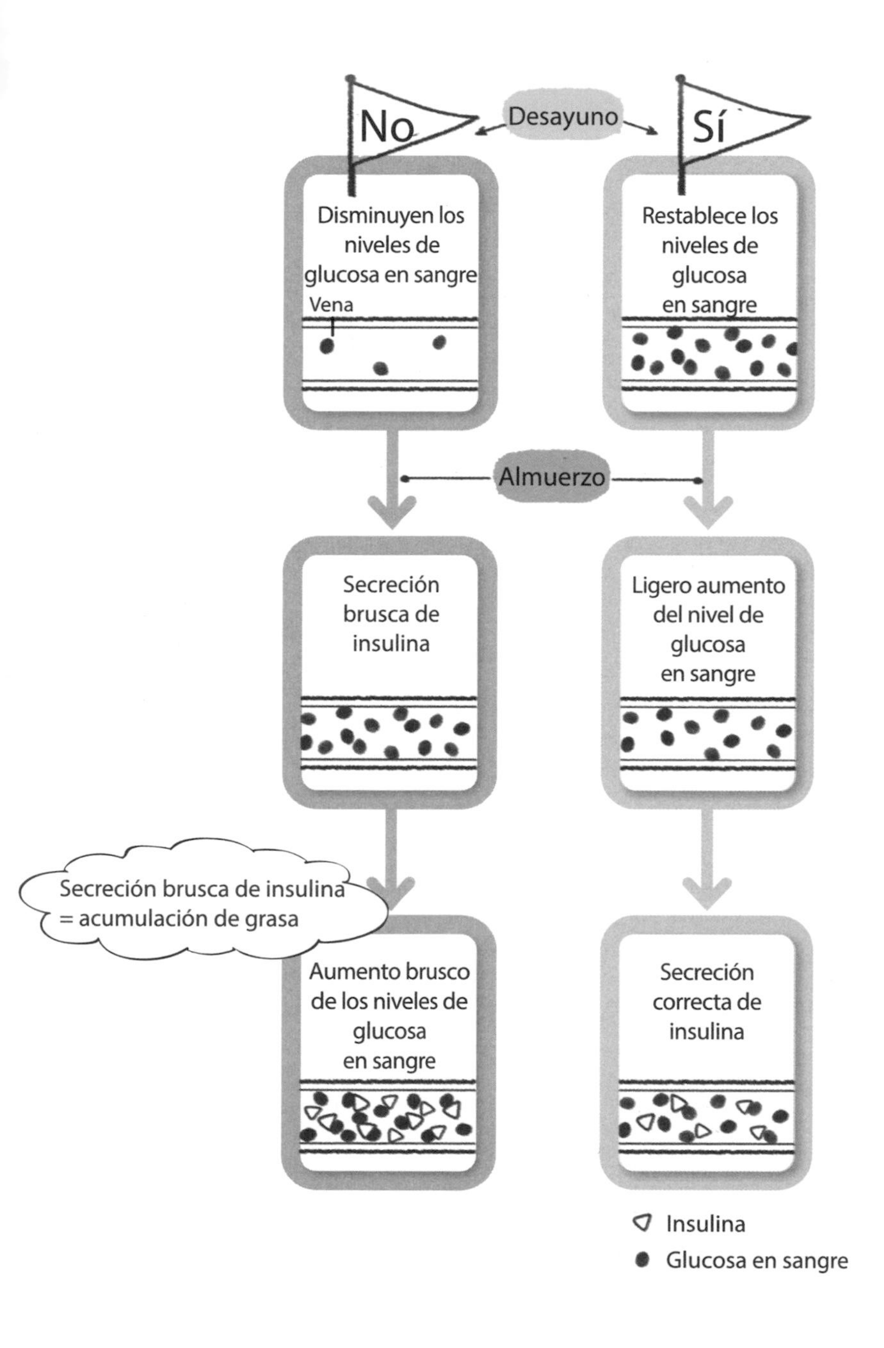

3. Come al menos tres veces al día

Otra regla básica para perder peso es que debes tomar más de tres comidas al día. **Te recomiendo que dividas la cantidad total de comida que ingieres al día entre tres o más comidas.**

Quizá pienses: «¿Puedo comer tanto si estoy a régimen?». Lo cierto es que el 70 % de la energía que consumes constituye la tasa de metabolismo basal, y la mitad de ella se destina a la digestión. **Eso quiere decir que la tasa metabólica disminuye si no comemos y aumenta si incrementamos la frecuencia de comida.**

Nos lleva entre 3 y 6 horas digerir las proteínas; 3 horas, la fibra; y entre 20 minutos y 2 horas los hidratos de carbono (azúcares). O sea, que cuando comemos las cantidades de proteína y fibra adecuadas, el consumo energético se incrementará teniendo en cuenta el tiempo que nuestros intestinos tardan en digerir los alimentos que consumimos.

Como norma general, puedes tomar hidratos de carbono a partir de la hora del desayuno hasta el mediodía y debes evitarlos por completo a partir de las cinco de la tarde. En cambio, puedes tomar fibra en abundancia desde el mediodía hasta la noche. Mientras estés a régimen, evita los fritos, los postres y cualquier «comida de un plato», como, por ejemplo, arroz con carne, pasta, *curry*, arroz frito o sopa de fideos, ya que estas comidas tienen demasiados azúcares.

Para asegurarte de que tu cuerpo puede generar bastantes hormonas como para descomponer la grasa, debes ingerir grasas y aceites buenos. En el caso de las mujeres, tomar 1 o 2 cucharadas de aceite de oliva ayuda a que el cuerpo queme la grasa.

Desayuno

Un sándwich de pan de centeno con un revuelto de marisco (100 g) y un huevo, junto con una cucharada de aceite de oliva.

Almuerzo

[Si te llevas la comida de casa]: 70 % del contenido del desayuno.
[Si compras algo para llevar]: Maki de sushi con atún, ensalada y un huevo hervido o una pechuga de pollo al vapor.
[Si comes fuera]: Un menú de comida japonesa: 70 g de arroz integral (menos de medio cuenco de arroz), carne o pescado acompañado de verdura y sopa de miso.

Cena

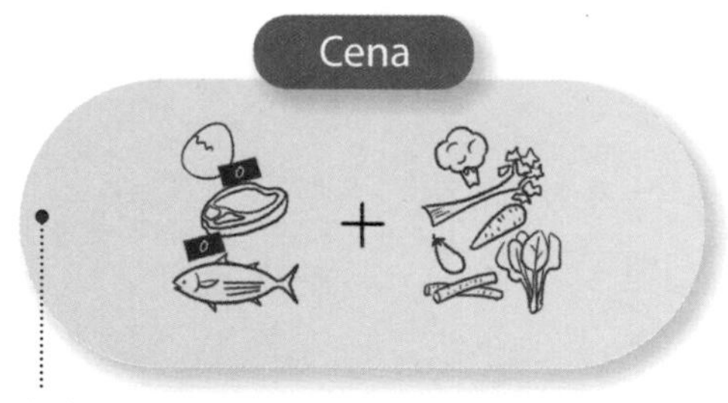

100 g de huevo, carne o pescado.
Una ensalada con la cantidad de verduras crujientes de tu elección (por ejemplo: brócoli, apio y/o bardana) y verduras frescas de colores, como espinacas, berenjenas y zanahorias.

Régimen para una mujer que coma poca cantidad o que haga solo una comida al día

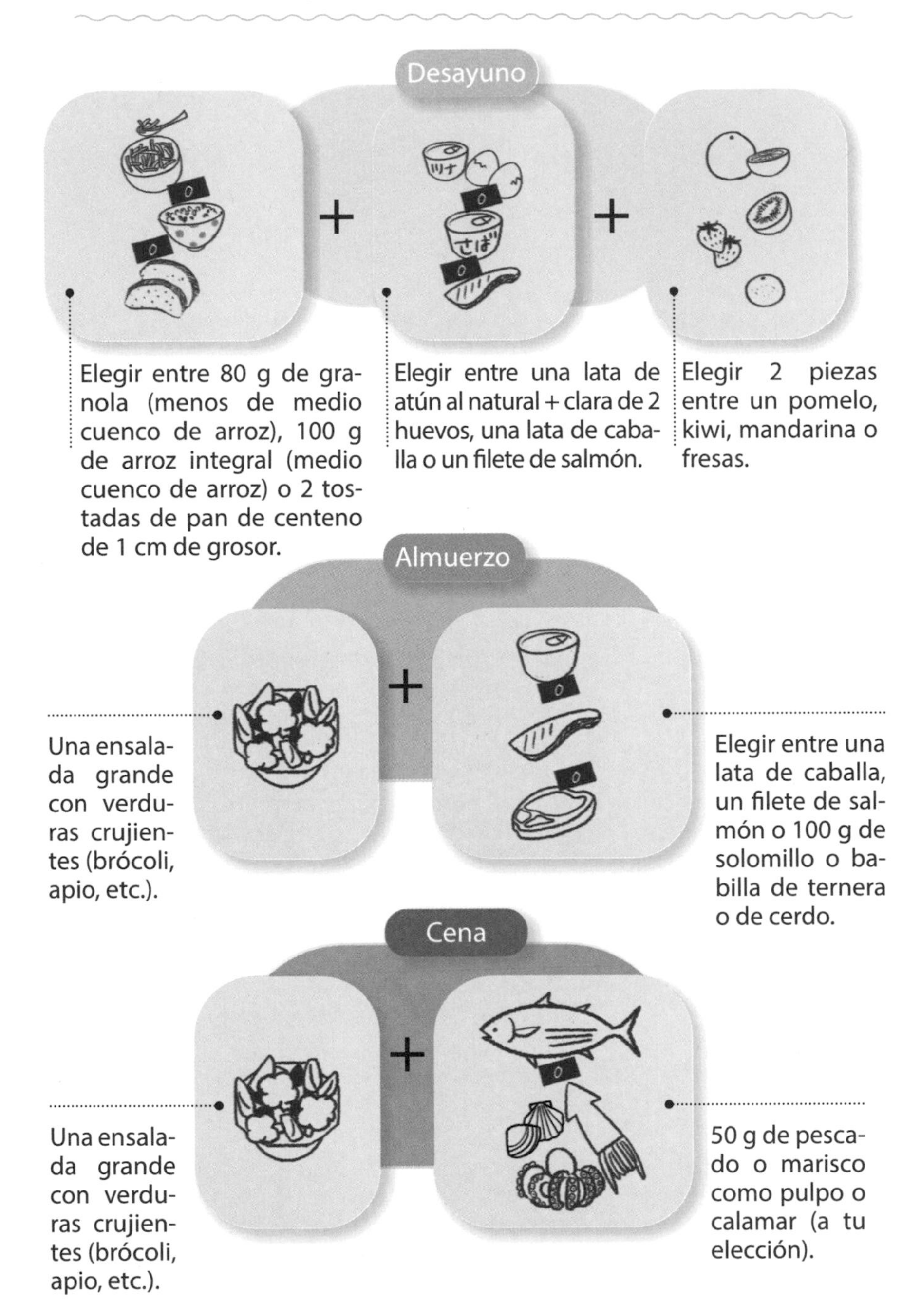

Puedes adelgazar, aunque tengas un horario irregular

Sé que a muchos lectores les preocupan las horas a las que comen. A menudo, mis clientes me dicen: «Hago turnos de día y de noche, tengo un horario laboral muy irregular, y no sé a qué horas debería comer» o «¿Cómo debo organizar mi horario de comidas para obtener resultados rápidos?».

Para empezar, lo primero que **vamos a definir es la hora de la cena**. Idealmente, deberíamos terminar de cenar cuatro horas antes de ir a dormir. Si nos vamos a la cama a las 2 de la mañana, entonces tendríamos que haber terminado de cenar antes de las 10 de la noche. Y, como he comentado anteriormente, tenemos que desayunar en la primera media hora desde que nos hayamos levantado. En la medida de lo posible, recomiendo que el almuerzo se haga justo entre la hora del desayuno y la de la cena, ya que, si estamos mucho tiempo sin comer, la fluctuación de los niveles de glucosa en sangre será mayor y el cuerpo comenzará a acumular grasa de forma constante. Para evitar pasar mucho tiempo con el estómago vacío, debemos hacer al menos tres comidas al día.

Si tienes hambre entre comida y comida, puedes tomar un poco de queso. El queso contiene grasas y sal, y una pequeña cantidad te ayudará a matar el gusanillo durante un rato. Además, dado que es rico en proteínas, grasas, sal y calcio, tarda en ser digerido por nuestro organismo, y esto provoca un aumento en el consumo energético de nuestro cuerpo.

Cuando te entran ganas de dulce...

Hay veces que necesitas tomar algo dulce, ¿verdad? Resistir la tentación y no saltarse la dieta no siempre es la solución. Por eso, lo mejor es que elijas alimentos con un bajo índice glucémico que eleven los niveles de glucosa en sangre, como, por ejemplo, una barrita de proteínas. Este tipo de barritas, además de proporcionarte proteínas y una cantidad baja de hidratos de carbono (azúcares), también contienen grasa, lo cual los convierte en carbohidratos complejos. Estos son alimentos que, además de azúcares, contienen una gran cantidad de nutrientes, como la fibra. Por ello, tardan tanto en digerirse.

Por el contrario, hay que evitar dulces como las tartas, las galletas o los pasteles que llevan mucho azúcar. Este tipo de alimentos tardan unos 20 minutos en digerirse y aumentan bruscamente los niveles de glucosa en sangre.

Si tomas algún dulce para merendar, lo mejor es que lo dividas en dos y tomes, por ejemplo, una mitad a las 3 de la tarde y la otra a las 4. De ese modo, tendrás que hacer la digestión dos veces (una hora por cada mitad) y doblarás el consumo energético. Si sigues estos consejos, los niveles de glucosa en sangre no subirán ni bajarán de golpe, sino poco a poco, y evitarás la acumulación de grasa.

Bebe mucha agua y evita el alcohol

Una regla muy básica para no disminuir el metabolismo basal y mantener la masa muscular es no reducir la cantidad de agua corporal. Lo ideal sería tomar 50 ml de agua al día por cada 1 kg de masa corporal. Por ello, si pesas 50 kg, deberías tomar 2,5 l de agua, incluidos té, café, etc.

Sin embargo, evita el consumo de alcohol. **Cuando bebes alcohol, el hígado, cuya función es la de descomponer las grasas, deja de funcionar.**

Tu hígado deja de descomponer grasas durante 4 horas cuando tomas una copa de alcohol; si tomas dos, ese parón se prolonga 8 horas. Si no estás dispuesto a abandonar el alcohol por completo, puedes ingerir bebidas alcohólicas solo dos días a la semana. Para incrementar la cantidad de grasas quemadas, es mejor tomar alcohol solo dos días a la semana y abstenerse el resto. Es preferible que hagas esto a consumir una pequeña cantidad de alcohol cada día. Procura tomar cítricos o fresas en el desayuno después de una noche de fiesta. **Además de enzimas, la fruta tiene suficiente agua y azúcares como para descomponer el alcohol, por lo que se convertirá en tu aliado.**

El ayuno solo hace daño y no ofrece ningún beneficio

Hace tiempo se puso de moda hacer dietas que incluían días de ayuno. Sinceramente, jamás recomendaría esto. El ayuno solo hace daño y no tiene ningún beneficio. Tomar zumos *detox* durante un par días te ayudará a reducir el peso, pero esto se debe a una disminución de la cantidad de agua corporal: en cuanto termines el período de ayuno, recuperarás el peso enseguida.

Y no solo eso: al perder agua corporal, reduces también la masa muscular, y la tasa metabólica y el consumo energético disminuyen. Para colmo, hacer ayuno suele producir un efecto rebote enseguida, por lo que las personas que hacen estas «dietas» a menudo suelen repetir el ayuno.

Además, cuando estás en período de ayuno, los órganos internos no trabajan, y esto ralentiza el metabolismo basal y disminuye el gasto energético. Cuando la masa corporal y la tasa metabólica se reducen, el cuerpo comienza a acumular grasa y le cuesta más adelgazar.

¿Qué tengo que hacer si...?

Capítulo 4

Ejercicios para resolver problemas concretos

LAS CLAVES PARA EL ÉXITO

Cómo planificar una dieta infalible

He hablado con mucha gente que no ha conseguido adelgazar a pesar de esforzarse en seguir una dieta; a menudo, estas personas fracasan porque se han propuesto obtener unos objetivos demasiado ambiciosos. No es plato de buen gusto sentir que te has esforzado muchísimo en vano. Por ello, a continuación te presento el mejor programa que te permitirá alcanzar tus metas sin el riesgo de sufrir un efecto rebote.

Con el método Sakuma, cada persona pierde peso y consigue su figura ideal a un ritmo diferente. **Ten en cuenta que, si tu objetivo es perder X kilos en Y días, tu cuerpo podrá perder solo un 5% de tu peso original al mes.** Es decir, que, si pesas 60 kg, podrás perder 3 kg en un mes. **Si intentas adelgazar más rápido, perderás masa muscular.**

A una persona que quiera perder 6 kg en dos meses le recomendaría que, en lugar de intentar perder 3 kg durante el primer mes y los otros 3 durante el segundo, intente adelgazar 4 kg durante el primero y los 2 restantes durante el segundo. Por norma general, adelgazar es cada vez más difícil cuanto mayor sea tu progreso, por lo que te resultará más fácil perder peso durante la primera fase de la dieta.

Si consigues reducir unas 500 kcal al día mediante ejercicios y un plan de alimentación concreto, adelgazarás sin problemas. Lo mejor es que reduzcas los dulces y postres. Por ejemplo: solo dejando de tomar un flan al día, ya reduces unas 300 kcal, y el resto puedes quemarlas si incrementas la tasa metabólica de tu cuerpo mediante la realización de los ejercicios del método Sakuma.

Antes de establecer tus objetivos y preparar tu plan, me gustaría que pensaras una cosa: ¿qué quieres hacer una vez adelgaces? ¿Cómo quieres que sea tu vida cuando hayas perdido el peso del que te quieres deshacer? Estas preguntas son muy importantes para alcanzar tu meta. Si tu objetivo es perder 3 kilos, una vez lo hayas conseguido, te relajarás y volverás a comer como hacías antes, e incluso puede que ganes más peso del que hayas perdido. En cambio, si recuerdas el tiempo en que pesabas 3 kg menos, pensarás algo concreto, como que «eras más feliz porque pasabas más tiempo con tus amigos todos los días» o porque «podías ponerte unos pantalones más pequeños». **Te recomiendo que, antes de empezar, pienses en cómo quieres estar una vez hayas adelgazado.**

Cómo superar la fase de estancamiento y el efecto rebote

A veces, aunque intentes seguir la dieta, no puedes parar de atiborrarte. Esto puede ocurrir, pero no por ello debes renunciar a seguir a régimen. Si te encuentras en esta situación, a continuación te doy una serie de pautas que debes seguir para retomar la dieta como si nada hubiera pasado. Pongamos que, por ejemplo, ingieres 2.000 kcal más de las que debes en un buffet libre. Para compensarlo, puedes reducir tu ingesta calórica 300 kcal al día durante toda una semana.

Lo que no puedes hacer es intentar quemar las calorías extra solo mediante ejercicio. Aunque practiques 8 horas de yoga durante el fin de semana, únicamente conseguirás quemar unas 400 kcal. Si corres 10 km entre el sábado y el domingo, solo quemarás alrededor de 500 kcal. Solo las personas quienes que les gusta mucho hacer deporte pueden compensar una ingesta excesiva de calorías haciendo ejercicio.

La fase de estancamiento es un período en el que no se baja de peso a pesar de que la persona combina la práctica de ejercicio con un régimen alimentario. En otras palabras: es una etapa en la que se equilibra el consumo y el gasto de energía.

Si cuando esto ocurre reduces la cantidad de comidas, desarrollarás una mayor ansiedad y, probablemente, sufrirás un efecto rebote. Lo importante cuando nos estancamos es cambiar el contenido, no reducir la cantidad. En lugar de comer una manzana verde, toma una manzana roja; o cambia la ternera americana por la australiana. Si haces esto, alterarás el equilibrio nutricional levemente y el cuerpo reaccionará a estos estímulos adelgazando.

Una vez termines la dieta y vuelvas a comer como siempre, si sufres un efecto rebote, **divide tu ingesta calórica diaria en ocho comidas.** Con esto conseguirás que los órganos internos trabajen más veces, incrementarás el metabolismo basal y aumentarás el consumo de energía.

Abandonar la dieta es una opción

En caso de que experimentes un efecto rebote una vez hayas acabado la dieta, te resultará más fácil perder peso si esperas alrededor de medio año antes de empezar otro régimen. Si ganas peso a pesar de no comer en exceso, quiere decir que tu metabolismo basal se ha ralentizado y que tu cuerpo está acumulando grasa. Si esperas medio año antes de empezar otra dieta, tu cuerpo volverá a su estado habitual y restablecerás tu metabolismo basal, la densidad de la sangre y las funciones digestivas, de modo que podrás volver a perder peso fácilmente.

Ejercicios para deshacerte de las preocupaciones e interrumpir ciclos negativos

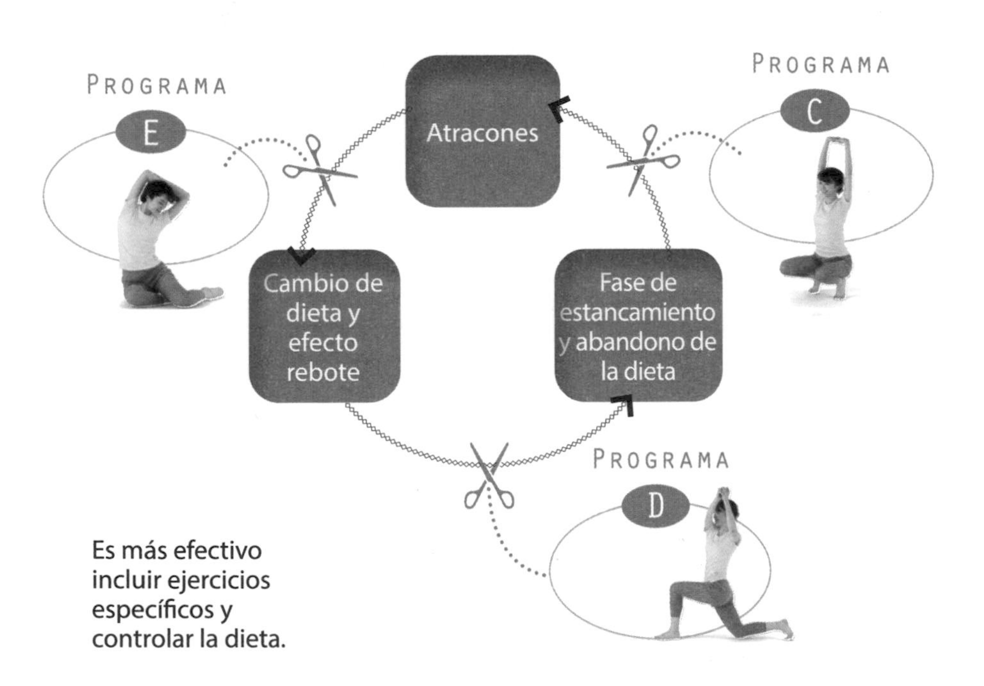

Es más efectivo incluir ejercicios específicos y controlar la dieta.

PROGRAMA A

Adelgaza durante un día ajetreado

Haz ejercicio sin levantarte de la silla

En la vida moderna, pasamos mucho tiempo sentados en el día a día: en la mesa de la oficina, en el coche, el tren o mientras comemos… Cuando estamos sentados, la parte del cuerpo más propensa a debilitarse es el abdomen. Con este ejercicio, trabajarás conjuntamente los músculos del abdomen, la espalda, el tórax y los de alrededor de los omóplatos sin levantarte de tu asiento. Es un ejercicio muy efectivo para aumentar el consumo de energía. Realiza este ejercicio cuando te des cuenta de que estás repantingada en tu asiento y consigue un cuerpo con un metabolismo basal rápido.

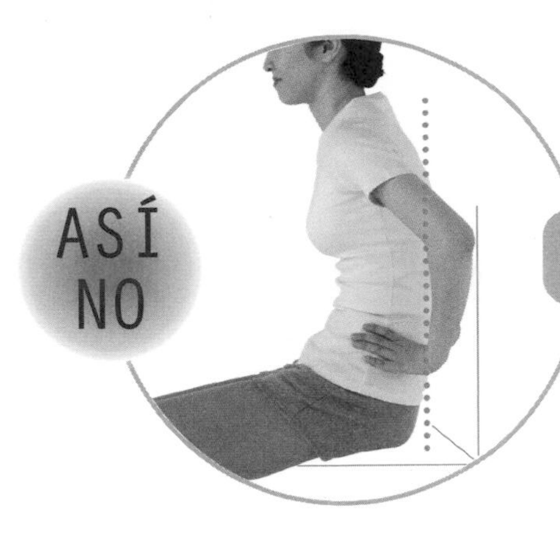

Si te inclinas hacia delante o encoges la espalda, te costará meter el abdomen.

2. Inspira, mete el abdomen y mantén la postura 3 segundos.

(Duración: 60 segundos)

Adelgaza mientras descansas tras un día ajetreado

Haz ejercicio sin levantarte de la cama o el sofá

La mayoría de nosotros solemos mover nos a diario utilizando únicamente la fuerza de los brazos o las piernas. Sin embargo, cuando estamos tumbados y queremos movernos, no utilizamos estos músculos, sino los del torso. Con este ejercicio te moverás como si estuvieras en la cama y conseguirás incrementar el gasto calórico de tu cuerpo. Dado que no tienes que esforzarte demasiado para hacerlo, este es el ejercicio perfecto para cuando estás cansada o te sientes sin fuerzas.

Posición inicial

Túmbate bocarriba y extiende los brazos hacia los dos lados.

ASÍ NO

1. Tuerce el torso y lleva un brazo hacia el lado opuesto.

No uses las piernas.

Mueve el cuerpo sin hacer fuerza con las piernas.

2. Gira el abdomen y colócate bocabajo.

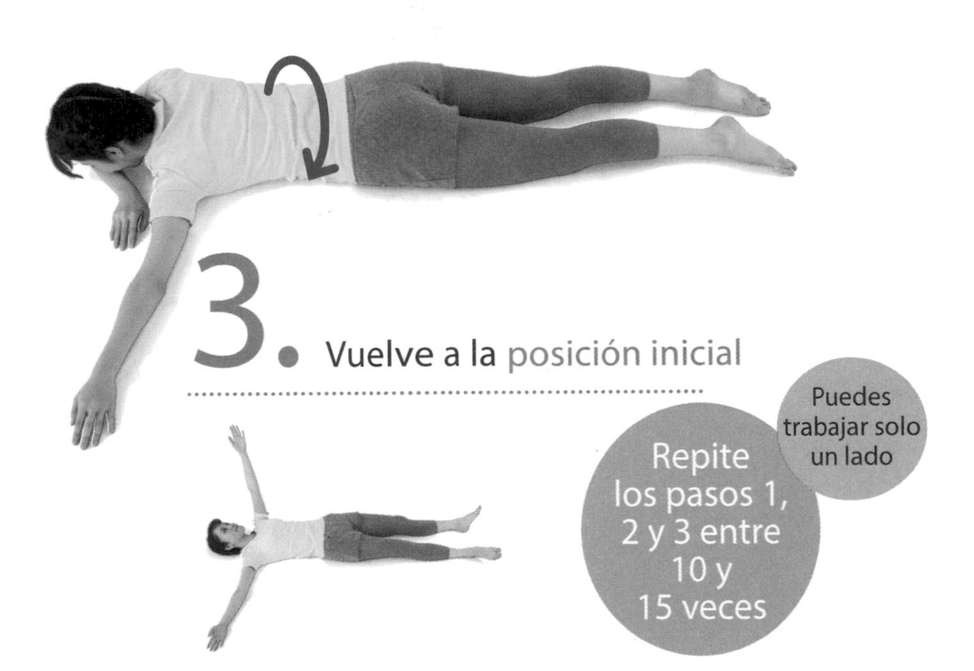

3. Vuelve a la posición inicial

Puedes trabajar solo un lado

Repite los pasos 1, 2 y 3 entre 10 y 15 veces

PROGRAMA C

Ejercicio especial para cuando te cuesta adelgazar

A menudo, a pesar de que estás a dieta y haces ejercicio, hay momentos en los que te cuesta bajar de peso. Para superar esa fase de estancamiento es importante hacer movimientos corporales que no hagas a diario. Usar músculos que no utilices frecuentemente te ayudará a estimular el cuerpo. Estos movimientos extraños demuestran ser muy efectivos: el cuerpo y los músculos se activan. Cuando notes que estás en una fase de estancamiento y te cueste adelgazar, prueba este ejercicio.

2. Mantén los brazos estirados y ponte en cuclillas.

Repite entre 15 y 20 veces

Ejercicio para superar el efecto rebote

A veces, nos esforzamos muchísimo en perder peso, pero, luego, cuando abandonamos la dieta, sufrimos un efecto rebote y recuperamos el peso perdido y, a veces, incluso engordamos más. Cuando esto ocurre, los músculos que sueles usar se debilitan y el gasto energético se reduce, por lo que el cuerpo puede ganar peso más fácilmente y adelgazar se torna en una tarea más complicada. Con este ejercicio trabajarás tanto los músculos debilitados como aquellos que no has trabajado hasta ahora y ayudarás a acelerar el metabolismo basal. Además, al trabajar los músculos debilitados, aumentarás la cantidad de grasa que tu cuerpo quema.

1. Cruza los dedos, estira los brazos hacia delante y lleva una pierna hacia delante y apoya la rodilla de la otra atrás.

2. Mantén los dedos cruzados y gira el torso.

3. Gira el torso hacia el lado opuesto y levanta los brazos con fuerza hacia arriba en diagonal.

4. Repite hacia el otro lado.

PROGRAMA E

Para un día que has comido demasiado. Ejercicio para empezar tu día de cero

Cuando comemos demasiado, los niveles de glucosa en sangre aumentan y nuestro cuerpo segrega muchas hormonas productoras de grasa. Esto ocurre alrededor de 60 minutos después de cada comida. Sin embargo, una de las características especiales de las hormonas es que el tipo de hormona que se segregue antes domina al resto. Es decir, si nuestro cuerpo segrega primero la hormona del crecimiento, esta impedirá la secreción de las hormonas que aumentan los niveles de grasa. Si ejercitas las partes del cuerpo que no utilizas normalmente antes de que pase una hora desde que has comido, incrementarás la secreción de la hormona del crecimiento e impedirás la acumulación de grasa.

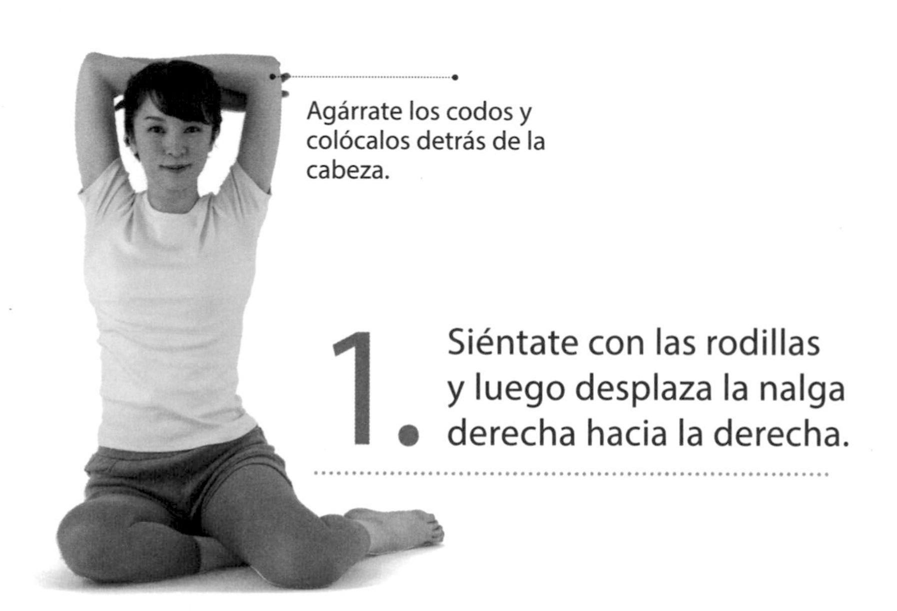

1. Siéntate con las rodillas y luego desplaza la nalga derecha hacia la derecha.

Si inclinas el cuerpo, no estimularás los músculos debajo de los brazos ni de los costados del torso lo suficiente.

2. Tira de los brazos e inclina el torso hacia la izquierda.

Mantén la postura 6 segundos

Repite 5 veces

3. Repite el mismo movimiento hacia ambos lados.

PROGRAMA F

Ejercicio de emergencia para mejorar antes del fin de semana

Un escote tonificado y delicado te hará parecer más delgada. Con este ejercicio, estirarás los músculos del cuello y de las clavículas. El resultado: el cuello, las clavículas y los hombros adquirirán un aspecto más elegante y tu aspecto general cambiará. Realiza estos ejercicios el día antes de una cita importante o una fiesta.

1. Siéntate con las rodillas en el suelo. Coloca el dorso de las manos sobre una silla.

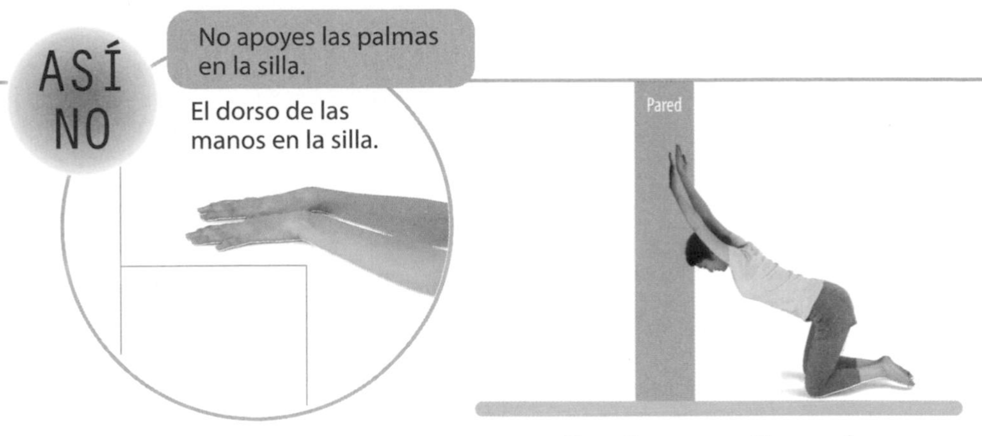

Si no tienes una silla, puedes hacer el ejercicio con una pared. En ese caso, apoya el dorso de las manos en la pared.

2. Lleva el torso y los glúteos hasta el suelo, mete la cabeza entre los brazos y baja el cuerpo.

Mantén la posición 10 segundos

Repite 6 veces

Un ejercicio extra para cuando estés muy motivada y llena de energía

Para esos días en los que te sientes muy motivada y no te importa hacer un ejercicio más, aunque sea más duro, te recomiendo este ejercicio muscular. Con él, fortalecerás todo el cuerpo trabajando tres puntos clave del torso: la parte inferior de los omóplatos, la parte baja del tórax y la parte superior de las caderas. Si cargas estas áreas ligeramente, fortalecerás el torso.

Posición inicial

Abre las piernas hasta la anchura de los hombros y dobla ligeramente las rodillas. Agarra una toalla con las manos.

ASÍ NO

No encojas la espalda

Si te encoges hacia delante, los omóplatos se moverán menos.

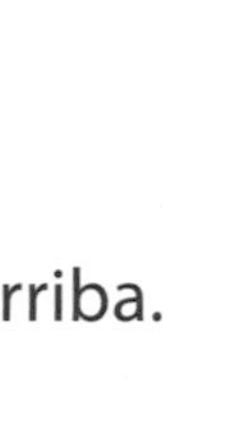

1. Estira los brazos hacia arriba.

2. Baja la toalla por detrás de la cabeza.

Repite 15-20 veces